MW00654804

AS IS

É

Textos reunidos
Texts by

Josefina Báez

As Is é. Textos reunidos de Josefina Báez
Photo Ay Ombe Theatre retreat/Mabel
Manzano
February 2015

All rights reserved.
No copy of this text –partial or in its
entirety allowed without written
permission of the author

I Om Be Press   a Yo project
Ay Ombe Theatre
P.O. Box 1387
Madison Square Station
NY NY 10159

ISBN#
978-1-882161-29-4

As Is É

A mis Constantes

Haiku in Dominicanish

Singing
Freshness
Rapper's
Delight

Translation notes
Singing: gerundio, verbo Singar-
love making
Freshness: frescuras-intercourse
Rappper: quien rapa-lover
Rapar: love making/to fuck

Translating love

El me introdujo…

entonces

dulcemente

realicé.

Microcuento 1:

Sí. No. Siempre fue la respuesta.
Y aquí comenzamos a tejer las
preguntas.

Microcuento 2:

Sino. Siempre. La respuesta. Y aquí
comenzamos a tejer. Preguntas.

Microcuento 3:

Con cara de un fokin bodegón,
dijo gracias.

De Dominicanish

¿Tú sabes inglés?

Ay habla **un chin** para nosotros ver si
tú sabes.

I was changed   They were changed
He   She   It   were changed too.
Pretérito pluscuamperfecto indicativo
imperativo.

Back home   Home is 107 ok

Full fridge   full **of Morisoñando** con

Minute Maid   To die dreaming as
a maid in a minute.

Yo no voy a poner la boca así como
un guante.

Gosh to pronounce one little phrase
one must become another person with
the **mouth** all **twisted**.

Don't get me wrong   Yo se un chin

Yo me sé   Girl loves you

Me Tarzan   You Jane

You   Me   Mine   Love you do   does
and doesn't   been very very very very
good to me mine myself
An' da' si

Celebrando Abril   translations.

And yet, thanks to the Ganga
gracias al Ganjes   los tígeres de
Bengala no enchinchan la sed.
El salto del tígere hace rato que no es
tántrico.   Thanks to the Ganga
Bengal tigers don't move me
long gone **tantric attacks**.

Marisol   tú no entiendes   tú no me
quieres   ejmaj, tú nunca me has
querido.
Marisol   you don't understand
you don't **love** me. In fact,
you have never **loved** me.

Julio mi **amor**, don't say that,

remember what happened to Anita,

Rosa, Raúl and now Lourdes in

decisiones 1, 2, 3, 4, 5, 6, 7, 8, 9   187

781 718 1 o 2 201   212   917 646

Monolingual Linear Lover   187

781 718   1 o 2   201.

Hips swing   male or female

We swing creating our tale

Male or female   **We swing.**

No one to blame or complain   but go

Just go   let go   go slow   go fast

but go.

Crooked City

A woman named cupid.

City glorifying the finest brutality in

blue.

City nuestro canto **con viva emoción**

City a la guerra a morir se lanzó.

Suerte que la 107 se arrulla con

Pacheco

Pacheco   tumbao añejo

Pacheco flauta   Pacheco su nuevo

tumbao

El Maestro   El Artista

Tremendo Caché compartido en Cruz

Juntos de nuevo   como al detalle.

Tres de Café y dos de azúcar.

Con el swing del tumbao y reculando

como Ciguapa…

Me chulié en el hall.

Metí mano en el rufo.

El super se está tirando a la culona del

5to piso.

Jangueo con el pájaro del barrio.

Me junto con la muchacha que salió

preñá.

Salgo con mi ex.

Hablo con el muchacho que estaba

preso.

Garabatié paredes y trenes.

City   I pulled the emergency cord.

Frequent flying to the dictionary

grooving it   diggin' it

Fight the power   fight the power

fight it

Past is not present   You know

better than anybody else how I used

to die to sing like Fausto Rey.

But past is not present.

El present is a gift. Cool as a

cucumber   like Peter thru his house

Leather   leather   lederísima   tell

me with whom are you hangin' out

and I will tell you who you are.

Por h ó por R that doesn't ring a bell.

Out of the woods just out of the boat

with two left feet.

I went back there on vacation.

There is La Romana.

Here is 107th street ok.

Every sin' is vegetable vegetable

vegetable   Refrigerator   refrigerator

fridge   Comfortable comfort able

comfor table   Wednesday sursdei

zerdeis

Once in a while everi sin' Son sin'

something sin   Past perfect

Perfect past

Regular   Irregular

ING very very very good

Ando cantando

ING singing

Di Ar er ir

Tradition revisited

Gofio eater
Espiritu burlón
Por joder
Dusting me with laughter
Por joder

Aphorism in Dominicanish

Here
That yuca eater
Is tutumpote
No more

Hood Jaikus

I Ching said.
I heard it not.
103rd Street stops number One.

Fasts slows
Sweets flies. Mi chuflái.
La Cochimbamba salutes you.

Gris. Azul. De tarde a noche.
Gotas. Maripositas en la talvia.
Frituras Delivery. Delivered.

Frozen bache.
Melted catarro.
Aquí falta un nairinaicentstore
tuentiforseven.

Palomas con moquillo.
Palomos con cerquillo.
Divine chercha on repeat mode.

Pinkish. Atardecer outlines known
skyline. Precinto arde.

"Com'on everybody clap your hands
ooooh you're looking good"
My brother Luis could twist
He taught me   His little sis'
Chubby Checker limbo rocked la
Santa Rosa 58 while outside   our old
wooden frame   painted for Christmas
sky blue   white rim
the sun was dimmed
predicting a toque-de-queda.
Doña María Cordero bought a tree
branch   painted snow white
the Caribbean 'tis the season tree
soon to be decorated with very very
very fragile red balls
Balls   balls   he had balls
Even if the only gesture seen was his
frown forehead
While three skinny policemen
dressed in the panic color of the times
grey color that lingers on today grey
Took him down   forced by culatasos
To fit in La Perrera
Defiant   firm
Sins expressed just by his red socks
He smiled to me
Julito, Julito manito come back quick
Mamá viene mañana en Pan Am.
Rafa arrived from *Elisa*
Realized   matured   skinnier
involved in a more thinking silence

And reviewed with me the
multiplication litany
9 X 9   7 X 7   8 X 6
No matter what   we will always be 10
Distance death distance   10 no matter
what Los 10 Morenos Negros Prietos.
Gogui tried to knit the basic cadeneta
that Doña Josefa taught me
Huge immense hands   ashy dry
awkwardly turned up and down and
around la agujeta juguetona
Cholo called from la acera thru the
half-door opened
Cito, standing up behind him, blew his
extremely fine black hair. Caribito was
there too. I could not see him but I
heard BORDA -in his laughing-talking
tone   I knew my game was over.
Gogui left for La Bomba
Two points. Two points. Back then
there was no distance worth three.
Basketball under an almond tree
Now is poetry
Back then it was afternoon's rhythm
paving the way for el Toro con el
Santo de Jobo Bonito   el equipito
Ebaheba y plus
"Let's twist again like we did that
summer…"
Mis Cinco Prietos Báez.

Cógele el pasito al 70.

Los mellizos cafeteros y un tal
pedacito de Quisqueya waved
good bye.
Patronales and aguinaldos signed the
come back invitations.
"Has cambiado pero sigues igualita'
with lots of 'hueles a nuevo' danced
with El Brujo and El Caballo.
Oliendo a downy but not in the GNP
Converse-Pro Keds grooving
Dig it?
Qué gozá pero no me quedo. No.
No.
No.
Hijos de factoría comen mucho.
Hijos de factoría crecen espigados.
Hijos de factoría refuerzan quintetos
distritales
Vitrales.
Vitrales con Con Edison 24/7
Vitrales del extranjero.
Lucecitas. Y lo que brilla.
Oro. Gold filled.
Dije oro morena.
Ausentes presentes   que se cantean
Ausentes presentes
way too presentes.

Tan presentes en la ausencia
viviendo en el 'terruño' que flota
en el eterno ni e'.

Hijos de factoría refuerzan quintetos
distritales.
Dominican Yorks
Hijos de factoría refuerzan quintetos
distritales.
Ya encestes o no eres Dominican
York.
Ique los más malos de la bolita del
mundo
Toma el balón. Driblea y burla la
defensa.
Se eleva   tira   Falla
Oigan la bulla amigos
Falta personal del número 24
Pierde la bola el equipo local
                                    Con o sin bacá

Tiro de tres

                          No aplaudí la
                          llegada.
Encesta. Oigan la bulla amigos.

Amor de lejos
amor de tres
amor de cuatro.

Un ripiao   una línea larga
Turistas
Otra ma' larga que'r diantre
Nacionales

Un guardia   un maletero
otro maletero
¿Y lo mío?
Un lo mío 'pareco' yo.
Otro maletero y otro má descuartizan
la bienvenida

Sospechosos no conocidos
al cuartico.
Sospechosos conocidos
al Salón Diplomático

La que tiene una Monga en la mano
Mírenla ahí mírenla ahí
I ain't no fucking Juanita Shit

Divisas divisorias dividiendo
Parte integral del GNP
Divisas divisorias dividiendo
Remesas igual a turismo.   Really?
Great. The more the merrier.

Divisas divisorias dividiendo

No es sacaliñando las remesas Mijo,
esta es la quinta vez en un año que

vengo a arreglar un lío de la
construcción-la casa-la comida de mi
Mai-de mis hijos-de mis viejos-lo que
habia en el banco-de mi retiro. No es
ni cogiendo guto ni vendiendo droga
que me lo gano, no. E' fajá atendiendo
viejos siete días a la semana. Tengo
ruedo que pesa oro.
Qué vaina, uno creyó que hacía un
bien…y mira ahora…me lo dicen en
mi cara, que trabajen los Dominicans.
Ó los Yorks. Ó los DominicanYork.
Pero na'…de refilón parece que soy la
pendeja. Y no.
El trabajo honra. Si nos hubiéramos
quedao aquí…dime tú.
-Doñita no lo coja así. Eso es estar
vivo. Eso pasa en todas las familias.
Bienvenida a su tierra. Sonría que
Cristo la ama.
-Que maletero ni maletero, yo cargo
mi vaina.
-Vieja pesá.
- Y dónde esta su Cristo cuando se le
dice no? El mio ahí e' prende.

Once   falsa paridad del dollar
45.00   Divisas divisorias dividiendo

Reportando para la nación, la que no
se cayó en el cajón.

El país en venta
Se vende esta mejora
Se vende este Club Gallístico. For Sale
Por motivos de viaje vendo.

Pasaporte vencido   folio de su acta
de nacimiento se dañó con el ciclón
regrese a su pueblo vaya a la central
pase primero por la regional cédula
expirada usted está casi trancao
pueblo-capital-otro pueblo-capital
Con esta me hago ciudadana con viva
emoción.
-Ahora todo esta computarizado
muchacha. Es más, ya tú votaste para
las próximas elecciones.

Bienvenidos al país mejor del mundo.
El tuyo.
Said What?
"Todo lo que dejas te espera... Damn!
Mensaje de la Presidencia.
¿De quien más?

Para sellar. Para seguir.
Aquí y allá nutriéndose,
cantándose y llorándose. Yo sé.
Yo sé. Nadie ni nada quita lo bailao.
Pero ya exorcizado el recuerdo
desando leve.
Now I am here.

Pedacito de mi alma,

La historia te escribió para que
camines sola. Y en el camino nutras a
muchos más.
I never wrote this letter. Instead, I
planted in your lerí, tu cabeza, your
altar, your head, brown kernels.
I planted a seed of life for life.
Yours. Many.
I planted a seed of life, even knowing
that your journey thru life redefines
life itself.
Life as we knew it has changed in the
midst of the ever.
What could I give you to take to
uncertainty but life itself?
What could I give you to take from
Africa to the new land?
If new?   If land?
I never wrote this letter.
Instead, I sent rice to a land that will
be yours.
If land?   If yours?
Share our rice and our know-how.
And we will be there with you.
Always.
In the sharing.
Always.

We will be there in every grain
planted.
In every pregnant rice tree.
In every harvest celebrated.
In every song sang in the field.

I never wrote this letter.
This letter is a fact.
Already sealed in its forever.
Before and after.
A poetic act.
Yes. Rice first came to America from
Africa in the braids of my child
Amina.
Yes.

See you always in nurturing dear,
pedacito de mi alma.

Love,
siempre.

Madre

Written & performed as part of The
Art of Rice (produced by the Center
of International Performance, Bali,
Indonesia/Hawaii/California, USA)
2003

Miches is not Puerto Rico
neither Queens Santo Domingo

Jfk587NYDR

N as in nice   no?
Y as in yo
          Yo
          Yet
Flash   Frontal
Comienza con f   con f de fea pa'la
                        foto
                        Doble fea pal' video

          All strikes against my skin
                    Required by law
Fasten your seatbelt when the Seatbelt
sign is lighted up
                    Y yo con grillos también
                    Seatbelts y grillos
                    Flying to a destination
                    not a wedding destination

Twice I 've had shitted on myself
I have shitted on myself not once but
twice

The day they sang to me   el día que
me cantaron   not quite las mañanitas
la corte conoce poco de mariachis.

And the day   today   they sent me
back
Back to where I came from
I really meaning it
Back to birth via death

Anyway, what better place than the
origin   the end   the middle
el ombligo   el medio   la calle
Ni en el cielo ni en la tierra
As it has always been

   Keep your seatbelts on
              while seated…
          They do nothing on a crash.

      Death unbuttons seatbelts and
      erases your past.

Para exterminar las excusas
para cambiar el karma
mi marido que me ama mucho
mucho mucho muchísimo
que desconfía de mí aún más
me pavea en San Givin' con tres
regalos.
Mí para mí   mi para él   siempre
un inalámbrico digital celular sin
internet
un beeper 917 conectao activao
y una 10 dollars calling card
Mí para él siempre.
Él rastreando un presentimiento
dando largas al amanecer.

Sus sabuesos tecnológicos
no dan ni frío ni calor al amante
que al final no es ni sombra de él.
Ese amante que de su papel solo tiene
el nombre   amante sin trucos ni
paciencia ni asomo de multis
de quickies por joder.
Los mañaneros en el juego sí cambian
el karma.

Regreso a la desconfianza.
Regreso a tu paciencia.

I kept the calling card para llamar a mi
mamá.

Es que las bases no estaban llenas

Everybody that I knew was there
Well   almost everybody
Almost everybody in our common
friends list

You nudged   I understood
Pensé   me sale algo
Esta noche me sale algo
Es que me ha salido el alguien
Esta noche sale el lobo

Sonreí confirmando el presentimiento
Sonreiste presintiendo lo confirmado

Amarle es un gran placer
I meant verle. Verle es un placer, dije
Negra ese placer siempre es mío.
dijiste

Fao   coño me cantaron fao
Golden Goal   me secreteaste

Back again   you my ex   you my is
Me   your Dindi
 as
Repitiendo cartones. Anew.
Delighted in known continent.

!!!para comerte mejor!!!

Me bañas
        tomas mucho mucho tiempo
tiempo
        interminablemente sabroso

me creas al tocarme   existo en el
tiempo que dedicas a tocarme
tiempo   cuando existo mas en el
plexo   cuando existo mas en mi
sexo
        cuando existo en mis
        adentros sin contención
        cuando salgo de mis
        adentros y sientes que
estoy
        your amazing artistry
        delineates accurately
        the sweetest tattoo
        honey-made designs
        powdered by rose
petals
        estoy quieta quietecita
        arropada en gozo
contamos cada petalo
en tu idioma en mi idioma
        en nuestro idioma

¿Lobo, lobo, para que son esos petalos
lobo?

Subway series

Exhibit A
"Do not, you hear me
do not fuck with me"

Esta frase automáticamente le bañó el
cuerpo de transparencia.
Y todos en el tercer carro del 6 vimos
la bilis subirle a la boca. Y ahí en la
boca, mezclar un bolo alimenticio de
significado literal.

"Well no   Well yeah Well fuck   Yeah
fuck but no Yeah I mean yeah
that's what I meant yeah do fuck
babe   yeah fuck
But   just fuck with me"

Exhibit B

103rd Street station   Manny's Yemaja
looked amazed but not surprised

A girl checks up the boy's phone.
Lots of loud fuck that bitch fuck this
shit fuck that shit.
He smiled. "She cares the way I want.
Love written all over".
He was caught and forgiven.

She cooled the truth and delayed the
unavoidable while resting her
beautifully braided head in his right
shoulder.

Todos regresamos a nuestros libros,
periódicos, revistas, los nuestros y los
de los otros, a cartas, biles, ipods,
miradas que no ven y a la última
entrega de Poetry in Motion.

If you see something say something.
"Chats and photos with that ho".
Your security is our security.
Next stop   96 Street

Exhibit C

Solo su boca. Gesticulaba.
A la velocidad de quien canta la
carrera de caballos.
Pintalabio rojo. Rojo. Rojísimo.
El tren 7 se detenía en cada parada
con besos vitrales. Outside. Inside.
Us. Inside. Us Outside. Besos vitrales.
Ella seguía. Habla que te habla. Todo
parecía una película extrangera. Con la
suerte que hubieran quitado el sonido
y los miles niet-espasivas-harashos.
Hubieran extendido los movimientos
de la boca del personaje, en un slow

motion que bailaría un Tchaikovsky
rap sang by some now Russian
minority quien le esta comiendo todos
los dulces a todos los de la mayoría en
el Moscow scene. Pronto alive en
Brighton Beach Lounge.
Pietage on. Back to the production.
Main Street.
Same called number. Same pace.
Same character.
Tchaikovsky on, from train to bus to
walk to destination.
La boca no para.
Cut.

Exhibition D

What did the train announcer say?
-Good grief. I am no immigrant.
I was born and raised in NY.
My family... New Yorkers from
generation one. And I have never
ever understood them. Train
announcements are sounds. Get it?
I doubt that you, accented and
undocumented being will understand.
Sounds. Get it?
Excuseme. For God's sake move away
from the door.
My stop. Fulton Street. Nice flowery
shirt Caribbean papi.

I got a white horse

Many years in hiding

A horse at home
A horse at home in the tiger's shoes
At home
Me ve
Me ve at home
y babea
Bailo   relincha
Trabaja fino   ridding a pleasure
Caribbean amazona always on top
como la cherry
Ridding a sure pleasure.
Ni hurdles   ni trotting   fuera de su
juridicion
Cabalgamos solo en downtown
                his turf
Que bregue él con lo que se vé desde
afuera
que bregue él con los de el
que bregue él con su orgullo-
multicultural-ecologico-open-liberal
Entierro la vergüenza   no muestro
evidencia
yo que by all means if necessary no
"Adelantare la raza"

Uptown deep-fries his freckles.

Today I realize that we are divorced
I went to Ikea by myself
In the free shuttle bus
Bought twin size
Twin s i z e
Quilts and blankets
To shrink your absence
A new pillow A pillow I said

A pillow that has not listened to your
whispers
Que no conoce tu baba
Nor has cuddled your dreams

One beautiful plate
One exquisite flower base
One towel set
And seven candles

¿El restaurant?
¿Tú me preguntas por ese toyo?
Eso es un moco.

La Romana 101

Érase una vez   ya ves   no es
El mar llegaba hasta la Asamblea de
Dios escrita en hierro rodeada de
piedras.
Bajando la bomba, La Duarte, sigue
La Altagracia hasta La Libertad, que
un día fue 24 de abril.
Colores barnizando maderas, piedras y
cemento para vivir.
Lluvia en zinc   Sol en asbestos.
La talvia hierve.
Los pendones bailan   para vivir.
En banda.
El palo e' lu escondió tu cuerpo.
Después de dos segundos que fueron
eternos, sirvió de apoyo a tu cabeza.
Luego vi tus ojos.
¡Toco el palo y veo el amor!
La sirena de los bomberos rompe la
taza.
Cada uno para su casa o para la
furfural.

6:00 a.m. 12:00p.m. 6:00 p.m.
Vertical en el reloj.

Dos mitades.
Dos abanicos.
AM y PM en el mismo lugar.
Los camiones de cachaza arrullan y
arrollan.
En Villa Nazareth encontraron a un
tallo de lechoza que rezaba el rosario.
Lo apresaron por su osadía, no por su
devoción.

Casi enfrente a la Policía, dos primitas
tocan la puerta cerrada de una
farmacia.
Farmacia Niño Jesús.
Tocan y gritan: "Niño Jesús, la virgen
te busca".
Geranio invita a la muerte.
La muerte le premia con un flu.

Se agrió el cielo cuando mataron a
Limonal.
Un rojo-anaranjado gritaba lo que
decía el silencio.

Dorila mastica plástico
Dorila se maquilla para no pasar
desapercibida.
Dorila murió   la enterraron sin
sepelio.

Al final no importa el rojo del
colorete.
Dorila, la Eleanor Rigby local.

Mi abuela crea las tardes en su cama
alta con espaldar de hierro.
Y antes de vivirlas, se fuma un cigarro.
El humo sale por las ventanas
anunciándome el final de mi chernaje.

Gimi uan cigaret gimi uan cigaret
marca el viaje de pulgón a buscón de
maipiolo a traductor.
Viaje del que resuelve y al que le
resuelven.
Gimi uan cigaret oración origen de los
zanquipankis.

Washington, su carretilla y yo.
Washington   cocolo generoso
cocolo arrugado   cocolo cansado.

Prohibido marotear en Cajuiles
entendí.   Keep out. Escribieron.

Mi abuela extiende la Navidad hasta
julio. Mi abuela guarda celosamente
las manzanas y los dulces de pascua.
Un cuarto de una manzana jugosa en
julio es maná exquisito.

Es un milagro cocinado solito en un rincón del seibó para miñinguiar toda una tarde.

Quiero ser como Doña Andrea.
Quiero hacer como Doña Andrea.
Con más de 100 años, todas las tardes, ella solita, busca la comida de sus puercos en dos latas grandes (pesadísimas) –de Aceite El Manicero, escrito en rojo, de corrido, como en el Silabario. Pero la hazaña a emular es como orina. Orina pará. De pie.
Postura erecta.
Y no se moja la ropa.
Mírala en el callejón de la 'decacaradora'. En la tierra solo espuma. Ella erguida. Tranquila.
Orinando con propiedad. Muchos pasan rápido y no ven como todo es su espacio íntimo.

La cachíspa inyecta de rojo las córneas. Cachíspa nieve negra.

¡Se robán la virgen!
Apareció con todas sus alhajas.
Apareció aquí.
Pero el ladrón no es de aquí.
Serie 26 roba virgen.

No era de aquí.
El ladrón no es de aquí.

Serie 26 roba virgen.

Popo se vistió de Papa.
El Papa-Popo móvil variaba con las
horas. Fué del Land Rover descapotao
de Brahim a burro del rally a motor
con árganas de presidente.
Es otorgado a Popo el premio
permanente de la mejor comparsa
individual, sin rival, por sécula
seculorum.

Una turba de tígeres asedia a
Antonio el de Filó.
Le acusan de haberse robado unas
casa. Él los acusa de comunistas.

Y Teléfono se encampana en la iglesia.
Y Marañao es sólo una mueca.

¿Quién sabe a ciencia cierta la relación
de Pingüí y la gata?
¿La amó o la violó?

Antes de tirar pancá en la ría, tres
tígeres vuelan la malla ciclónica
y caen en la Casa Puerto Rico.

Comienza un contéo de tres.
Comienza la competencia.
Se zambullen hasta el fondo.
La piscina no le reconoce la
membresía.
Cagan en el oasis que nos divide en
los "blanquitos", "tutumpotes" y
nosotros.

Negras vestidas a lo Aunt Jemima
sonríen a los turistas.
Intercambio de espejitos por oro.
No tenemos playa.

El cementerio está lleno.
Hemos muerto todos.

La estatua de Duarte está sola.
Ni enamorados ni desempleados la
frecuentan.

Ya no hay necesidad de toque de
queda. Recauchadas las gomas no se
queman.

Desandando Duarte abajo camino
camino camino camino camino
camino camino.

El camino ya no canta el rosario de las
7 que hacía eco en cada pieza.
El día subía con carcajadas vestidas
con la falta de respeto de la edad.

La noche se desvestía con la intimidad
nutrida por la falta de luz eléctrica.
Como si nada
era todo.

Gringos, higüeyanos y cibaeños
salieron también del Puerto de Palos
de Moguer.

Los que quedamos, tratamos de
armonizar la vida con el ruido de
motoconchos.

Calma que converge en el parque.
Falsa hilaridad que explota en los
centros cerveceros ó en la zona de
moteles, sudando guto por un par de
horas, en "cabañas turisticas".
Tu y yo tenemos de turistas lo que
tiene el invierno de caliente.

Felicidad, conformidad e infidelidad se
visten de lino.
"La muchacha" sirve.

Aviso, de buena familia, con buena
presencia.
Entonces nos fuimos.
Los que nos fuimos entretenemos los
recuerdos en el purgatorio.
Regresamos con la muerte diaria que
piensa un pasado presente futuro que
nunca existió.

Sí.

Tocar trompeta.
!Trompetista!
Hacer coro en salsa y merengue.

Sí.

"Bienvenidos al mejor país del mundo
el tuyo"

Di tú tu verdad!
"Todo lo que dejas te espera..."

Said what?

Mensaje de la presidencia.

But of course.

Nuestras salidas eran mayormente a los paris en los apartamentos "del pueblo" que se construyó en tres edificios
478 480 485
El pueblo creaba, reforzaba y aliviaba la vida sin saber que magistralmente lo hacía.
Lo hacía. Lo hacían. Lo hacíamos.
Certificados, diplomas y autorización, evidentemente no eran requeridos.
!Quién hubiera tenido timbales para escribir un 'con este documento se le otorga a' uno que era parte de un todo!
Y la historia seguía.
Cada día.
Cada día seguía la historia de ese pueblo en tres edificios con musica de fondo de Pacheco y su Tumbao y lo que estuviera sonando allá.
Allá es La Romana. ¿Ok?

Ninguna imposición.
Ninguna pretensión.
Más allá de celebrar el cocinar-bailar-singar-pagar a tiempo-reír con ganas-estar ahí siendo 'el pueblo'.

Los mismos LPs estaban en cada
1N 3A 4B 6C 7J 7K
El mismo menú se repetía
sabrosamente cada fin de semana.

Se bailaba mucho y bueno
Se comía mucho y bueno
se celebraba el te vas a casar
te casaste
vas a tener un hijo
te vas de retirada   cumpleaños feliz
te mudaste   te sanaste
comunión   graduación
te dejaste   te divorciaste
le dieron visa a la hija de Juanín
no apresaron al hijo de Cuchín
se arreglaron Mingo y Teresa
se sacó Evelyn con el 520 combinao
en la Múcura
cumpleaños sin ti   con la iglesia para
Tierra Santa   cierre del san de miles.
Nació Cuqui
Nació Charlie.

De la Madre de Todas las Tierras.
Quisqueya. Aquí.

I did play volleyball
Back in the days...70s, to be exact, I
played volley ball.
Jugué en La Romana (si si si si el
centro del universo).
Jugué en el equipo de la escuela a la
que asistía y en la pre-selección del
pueblo. Tenía el mejor coach del
mundo. Un hombre joven de gran
seriedad, sencillez y sensibilidad.
Con él, los amigos aprendimos a
escuchar canciones de José José, que
el escuchaba y amaba, amando a una
mujer, su delirio de ese pasado.
Como jugadora, era banco, to tell you
the truth. Una que otra chepa.
Una que otra asistencia.
Imagino que imaginaban que siendo la
hermana del Toro, sería vaca
encendía.
Pero no, creía que jugar era una danza.
And I really enjoyed it all.
Gozaba un mundo.
Me reía ma' quer diantre.
Es que el VolleyBall genera mucha
alegría. Camaradería. Gozo.

Juegos memorables...uno contra
Higüey, donde nos gritaban,
"Romanense roba Virgen";
si perdía el equipo de los tígeres,
tiraban chupones de china.
Te estoy diciendo, memorables.
Habian muchachas del equipo local
que después pasaron a jugar a la
selección nacional. Nuestros orgullos.
Super duras. Durangas. Siiii.
Back them, everybody played either
basketball or voleyball.
And Ping Pong too.
Aqui jugué en High School.
El equipo era habitado solo por
haitianas y dominicanas.
Quizas el nombre del equipo era
Quisqueya y nunca me enteré.
Hoy hubiéramos estado en las páginas
y posts con títulos de solidaridad,
comunidad, esperanza, etc, etc, etc.
Y moneda grants por pipaf.
En ese equipo la más prieta era yo.
Y la unica con afro. Mini-afro. Tended
only with Luster's pink elixir. Ayer y
hoy. Afro or shaven head.
Helloooooo!!!!!
Y los amigos dominicanos que iban a
ver el juego gritaban "saquen a la
haitiana esa, la morena de los
panticitos rojos, que se ríe mucho y va
a dejar caé la pelota".

Back then no decía malapalabras.
Mom was not playing.
Hoy se hubieran llevao una retajíla de
MMGs. At least.
Como era. Es. Así.

Luego habitamos otras ligas.
La Alterna. CUNY. La de Central
Park. Y la de Union Square Park, con
sus muchos sets hasta que llegó el
infamous 'cleansing' del parque.
Que se llevó la cancha de boca.
Y a todo el coro sin sustitución.

I discovered volleyball again
investigando teatro.
Estudiando biomecánica de teatro.
Meyerhold estudió las acciones desde
los deportes, por considerarlas
genuinas y precisas.
Ahí entendí el montón de cosas sobre
la pre-acción. Otkaz.Pacil. Y más.
Así forjó Ay Ombe su voz en el
cuerpo.
Poesía. Oraciones físicas.

Ahora la liga urbana de volleyball nos
llama. Y el equipo Ay Ombe is on.
Para participar. No competir.
Para más alegría.
I did play volleyball.

Gozo un mundo viendo a las reinas y
sus herederas con la tricolor en el
pecho y espalda. Dando leña con cejas
delineadas, puestas pa' lo de ellas.
Erre De en ligas mayores.
Refuerzos en to' er mundaso.
Bailando en las alturas en esas
coreografías de seis.

Llegaron los dominicanos.
Llegaron las dominicanas.

Las fiestas de por la 80 era terreno de
dominicanos y haitianos.
Johnny Ventura. Tabou Combo.
Wilfrido Vargas. Ska Sha. Johnny
Pacheco. Les frères De Jean.
THE soundtrack.

No, no teníamos la balsa de
pehachedes ni artistas ni politicos ni
performers ni una oenege.
Eramos. Somos.
Bodegueros, estudiantes, boliteros, los
de la factoría, los que limpiaban en los
hospitales.
Eramos. Somos.

Nos decian los dominicanitos.
Les deciamos los haitianitos.
Dominicanitos con nombres
particulares.

Haitianitos con nombres particulares.
Siendo el aumentativo aplicado a
todos, al dar tarea.

Sí.

Llegaron los dominicanite.
Son muchos prietos juntos. Vienen
con muchas mujeres que estan buenas.
Sus hermanas. Primas. Amigas.
Algunas veces venían con alguna que
otra novia.
Pocos. Pocos venían con sus novias o
esposas.
Iban a bailar. A reirse. A beber.
A gozar.
Llegaron los dominicanos de la 109.
Vinimo a 'eto.
Las primeras piezas bailadas entre
nosotros. The unofficial presenting y
relojeo, both sides with eyes on each
other. Sin decir na'. Bailando.
Todos.
En medio de la pista se ve mejor
como baila cada quien.
Después de la media hora estabamos
la mayoría en la pista.
El mío bailaba suave. Sin mucho
alarde, en tarea mode full.
Tarea silenciosa.

Nancy, toda risa, dejaba al parejo solo,
cada vez que le gustaba mucho una
parte de la canción, que todos
sabíamos de memoria, en nuestro own
creole. "Mierda pa' lo vecino" decía
riéndose con los ojos cerrao.
Tico estaba con los brazos pa' arriba
dando tarea. De vez en cuando daba
una vuelta. El solo.
Ma' parecío al Compi.
Gogui bailaba y lavaba la camisa 'a la
Lupe'.
Andres daba vueltas de salsa en
kompa. Bailando con su pineita.
Niña baila con el haitiano de los ojos
amarillos y una cachucha de cuero.
El tipo se puso a saltar.
Y ella también.
Luisito, sentado, fumando un tabaco,
se ríe de lo que hacemos. En completo
orgullo del hermano mayor, que cría
chercha. Que apoya todo lo alegre.
Los cuentos se dicen al regreso de la
fiesta.
Estos cuentos duran todas las vidas.
Esos cuentos…
Esos.

El haitiano.
Fue militar. Amigo de amigo del
"beibi...hijo venerable de Haití".
Salió huyendo del país por habérselo
metío a una de las cueras dominicanas
del militar al que él le cuidaba la casa.
Salió. No habia de otra. Llegó primero
a Canada. Y después a Nueva York.
Primero Brooklyn y después
Manhattan.
Aquí bolitero.
Me dijo: Todo lo que dicen de los
haitianos es verdad.
-¿Y?
El dominicano.
Fue militante de la izquierda. Amigo
del amigo del amigo de un poeta
haitiano muerto en Erre De. Todavía
el recita de memoria versos del poeta.
Salió huyendo del país por haber
desarmao a 19 carritos grises y tres
perreras, en cinco días. Salió. No hubo
de otra. El 7mo día lo sacaron por
Puerto Príncipe a Cuba.
Cuba Canada. Canada Nueva York.
Llegó a Manhattan.
Aquí bolitero.
Me dijo: Todo lo que dicen de los
dominicanos es verdad.
-¿Y?

420 pa' la Mucura

"Nosotros no somos como ustedes".
Me dijo la mamá de mi amiga y
compañera de volleyball en un español
pronunciado con zetas. Estaba
tomándome un maví hecho en su
casa. Maví con yaniquecas.
Me atorugué. Me añugué.
Se me fué por el camino viejo.
Se fué por el camino viejo.
El camino viejo.
Passé, dije. Pasao. Not Sak passé.
Vieja pasá.
"De tu país salen los nadie. Todos los
nadie. Todos" siguió la doña, ya
indignada, a nivel.
"Del nuestro sale quien puede. Y
quien puede siempre tiene educación.
E d u c a c i ó n de muy alta calidad, la
que nos enseñaron en Haití. Y por eso
representamos nuestro país siempre
bien, en cualquier lugar donde
llegamos. Por eso es difícil ver a uno
de nosotros en factoría. No, no
trabajamos en factoría.
Yo le dije, mi hermana también dice
siempre eso último que usted dice.
Mi amiga me hizo un guiño y ahí
entendí todo.
La doña no aceptaba esos amores de
ella con el dominicanito de la 110 hijo
del super.

Y yo que los presenté a que vivieran
su 'Ligia Elena'.
Se casaron.
Tienen tres hijos y dos hijas.
Yo madrina tía muchas veces.
Viven en la frontera   en Arizona.
Ella viene cada año en Thanksgiving.
Ella sola.
Todavía su mamá no conoce a sus
hijos.
No es problema me dice.
No somos la historia. Esa es la
bendición.

Hoy.
En esa casa, en Arizona, se habla
español, Creole, inglés y francés.
Los muchachos estan aprendiendo
Nauált me dice.
En esa casa, en Arizona, su dueña
duerme con rolos y un pañuelo de
seda, amoldando el pelo dezrizado por
su cuñada, en 'Quisqueya Sonora, el
primer salón estilo dominicano en el
desierto'.

Del Walker's journal

La celebrity model que corre a la
misma hora que yo, se detuvo a
acariciar a uno de los perros del
Brazilian walker 3.
El perro se le fué pal coño.
Literalmente.
Olía la cuca de la celebrity model.
Le ponía la nariz.
Repetidamente. Rápidamente.
Él tras los rastros del Meenakshi
effect.
Repetidamente.
Ella se olvidó de todo.
Rápidamente.
Con los primeros gritos de guto todos
miramos hacia donde ella estaba.
Ya en el piso. Decía algo en francés.
No entendí lo que decía.
Pero lo que sé sabia era que le gustaba
lo que estaba pasando.
Esos uí uí uí se oían hasta en Gracie
Mansion.
Seguí caminando.
A mí regreso todavía estaba el
jolgorio.
Los periódicos. Page 6 de primero.
Los policías –encubiertos y
uniformados.

En un helicóptero llegó de Wall Street
el jevo de la tipa. A la Bond.
La llamaba por su nombre.
Y añadía un 'For God's sake woman'.
Y ella encendía. Cuando lo miraba, le
cortaba los ojos.
Yo iba por la escalera y escuché
clarito:
Fuck your brunchs in Soho, fuck your
Galas, fuck your summers at Fire
Island.
Mel, get me a Brazilian dog walker,
and le chien, please.

Jesus. María y José. Me persigné.
Aunque presiné, suena mejor.

A day after.
a la misma hora.
Ahí va la celebrity model, tapando la
verguenza con Prada shades.
Y detrás de los lentes oscuros, sus
ojos de colores relojiando pa'quí y
pa'llá, buscando al dog walker y a su
caminado.

Dulce Desgustar Dulce

¿Hombre miel, donde haz conseguido
tantas frutas que tienen sabores tan
distintos?
Un adjetivo por fruta-Un beso por
adjetivo repetido-Un abrazo por
palabra no común.
Tus reglas de juego, dulces también,
reto de final de noche.
Afinando papilas en la madrugada.
Todavía siguen apareciendo frutas.
Sigues creando juegos.
Los nombres que inventaste.
Nombres que mezclan frutas y
oraciones, partes de mi cuerpo y tus
comidas preferidas, las frases que
siempre digo con las que quisiste
siempre decir, trocitos de las
canciones que mas nos gustan.
Sigo curiosa   puedo morir.
Sigo hambrienta.   Satisfecha
Mañanero brunch
Ahora flores comestibles.
La quietud en medio de amar sabe
siempre a ti.
Agazajo.

Duermo adornada
y despierto en tu boca.

Cita previa.

Todo se baña del tiempo
Pásate la lengua por el cielo de la boca
Encuéntrame en la cosquilla
Ahí donde la rutina es sortilegio

Encuentro lo que he buscado
Que no es más que lo que tengo
magnificado en el encuentro.

Amo.

Aquí en un paréntesis.
Cerradita contigo.
Contigo de par en par.

Algunas veces   Hoy   coincidimos
en paréntesis extensos.
Nadando siempre en pausas largas.
Larguísimas.
Muy muy largas.
Las más largas.

Hoy.

Palo y astilla. Y estilla.
Apuntes de las 48 horas.
Some or all of the above.

I
Sirenas frenéticas cortan el silencio
chillando lo que no deseamos
entender.

Así es.
Es así.

El aire   denso   muy pesado
con su viscosidad ya ha bajado
la noche.
Una noche sin estrellas.

Ha oscurecido temprano

What do we want PEACE
When do we want it NOW

Prendo las velas en el altar comunal
hoy que ha oscurecido temprano.

Nos vamos despacio.
Ya sin voz.
Hemos gritado la esperanza.
Cada slogan llegó cocido con alambres
de púa. Y los copos de algodón que lo
han recibido se tatúan coraje e
impotencia. Una verdad. Dos

posibilidades. En rojo.
Yo insisto en el verde. Y el azul.

II
Todo esta claro
frente a todos.
¿Lo vemos todo?
¿Lo vemos todos?

III
Pazpetróleopazpetróleopaz.
Cocorícamo.
Puertas y portales.

Really?
Really!

IV
Noticias de mierda.

V
What WE are you talking about?

VI
Parecía rush hour. El vagón estaba
lleno, lo que se dice lleno.
De sardinas en latas pa' arriba.
!Abajo el aumento al subway!
El tren se paró entre la 5ta & Lex.
Así se paró el corazón de muchos.

Corrieron los pensamientos de todos.
Vieron sus pedazos sangrantes en las
noticias alentadoras de las 11.
Para sacar lágrimas.
Para sumar adeptos.
Para joder.
Viceras, huesos, un ojo, un brazo.
Una pierna. Una madre que llora. Un
vecino que proclama la gloria virtuosa
de la finada. Él   devorando sus 30
famosos segundos en fama.
Ellos los malos.
Ique estos los buenos.
¿Bueno?
Bueno estaba el hombre que estaba
frente a mi. Un moreno elegantón.
Con unas nalgas musculosas.
De lejos no se les notaban. De
cerca…roca. Me aproveché de la
muchedumbre, de que ique los pone
bombas podrían estar también por
Grand Central, Times Square y
Bloomingdales, con todo y su
perfumería.
Yo moriría con guto. En guto. Sí.
Preferí morir despues de remenearme
detrás del moreno. Ese Moreno roca.

Tarea. Tarea. Tarea.
En ese gagá mortal.
Tarea. Tarea. Tarea.

Para transportarlo a sus ancestros.
Tarea. Tarea. Tarea.
Para yo pasar de nuevo por el batey.
Terminé el active harrasment,
pasandole la lengua por la nuca y con
una mordidita en la oreja derecha.
Como se le hace a un amante
conocido.
La señora que estaba sentada frente a
nosotros, me miraba recriminando mi
falta de pudor o mi excesiva
solidaridad. Y con la misma ira,
envidiaba no haber tenido la suerte de
estar cerca, cerca, cerca cerquita del
moreno. Obviamente, también
envidiaba el no haber tenido ninguna
noción de tarea tarea tarea.

Los presidentes son parigüayos y los
soldados son parigüayos
Los policías son parigüayos
los terroristas son parigüayos.
…Pa´la dicoteeeeca.

VII
What We are you talking about?

VIII
Dime, ¿cuándo salgo de mi casa?
Dime dónde hago mi casa.
Dime cómo hago mi casa
Dime quién debe gobernar mi casa

¿Es mi casa una casa?
¿Mia?
Mi casa no es tu casa.

IX
Mass   Weapon   media
Delete. Please.

X
Esa tortura televisada dicen que tiñe
perennemente los posibles abrazos.
Pero yo sé que no por siempre.
¿Como hablaría el corazón?

XI
What We are you talking about?

XII
Después de la matemática
cuántos muertos
cuántos deudos
cuántos billones
cuántos trillones
el aftermath   a soup line
a longer unemployment line
Mental and other hospitals dot org
in business en grande
Mira como construyen más edificios.
Oil won't be needed.
That oil does not heal.

XIII
Un calvario en numeros romanos.
Otra vez.
Imperio.

XIV
That We   ain't me

XIV
Me   self representing
me myself and I
many like me   guided within
Inner Sovereignty
Outer harmony

XIII
The morivivi effect   the surviving
syndrome   re-incarnation
resurrection
Is my rap   I'm back
Muerta en otra vida   muerta en vida
la vida es eso también
Na'
To'

XII
las procesiones siguen
el santo encuentro   la dolorosa
el santo entierro
todo en minúsculas.

XI
I ain't talking about you anymore
ain't worthy

X
Patriotas podridos.
Identity does some shit.

IX
I   dent it Why

VIII
Mi casa is not your house
neither your yard

VII
Who's talking?
Me!!

VI
El jabao me ha prohibido
terminantemente usar el subway.
Guessed why?
Por lo del Moreno.
Por lo de esta morena seguidora de
Shiva
chiviríca.
Tambien él protege sus intereses.
Tambien él, celosamente cuida su
petróleo.

Tambien él, se atreve a mandar en
casa ajena.
Tampoco él conoce que en el gagá la
tarea no reconoce el "I do" that we
did.

V
Me

IV
Entertainment news?
no thanks
No news is good news

III
El efecto   las letras finales   el show
el entierro   los pellizcos
una gotera incesante.
El dale que es tarde.

II
Como canta un gallo
    …de luna   claro del sol

I
No muero na'.

Lista de Washington Heights

Se rentan cuartos. Llame a Santos.
Santos Santos Santos Santos es el
señor.
Si sus hijos no se van a recortar, por
favor no los traiga.
A Santo Domingo 159
ida   Puerto Plata
Cambio hoy 12.50
Se cuidan niños y se buscan a la
escuela. Señora seria.
Se alquila habitación a dama que
trabaje.
¡Qué se vaya Balaguer!
Viajes al aereopuerto.
¿Quién mató a Quiko García?
En paz descanse.
Viene el Moreno.
Se apuntan numeros pa' Santo
Domingo.
Palé los domingos solamente
10 plátanos por un dollar
Se hacen bizcochos estilo dominicano.
También picadera, kipes y pastelitos.
Se hacen manicure y pedicure a
domicilio.
Traducciones.

Se llenan solicitudes de Welfare.
Tenemos Lemisol, Crema Santa y
productos Lafier.
Marcha en contra de las drogas.
Reelijamos al electo.
Uno de los nuestros.
Llamadas a 39 centavos el minuto.
Sin pago de conexión.
Botellas preparadas. Mamajuanas con
huevo de carey.
Se rentan cuartos. Llame a Santos.
Un santo monopolio.
GED ESL clases gratis para usted.
GED ESL clases gratis para usted.
Curso de ciudadanía
Cambio hoy 12.50
Masajes. Maquillaje permanente.
Zapatos Nina a precio de por mayor.
Ropa por libra.
Chicken wings & plátanos fritos.
La Morenita éste y todos los
miercoles.
Se leen las manos
                    Barajas
                    Caracoles
                    Hojas de té
                    El vaso
                    La taza
                    El cigarro

Brujo Colombiano
Brujo Haitiano
Brujo de Las Matas
El Viejo. El Niño. La India. La Negra.
Se alquila habitación amplia a pareja
sin hijos. Con cocina. Sin vicios.
Familia seria.
Smoke shop 24 hours
"Seamos realistas. Hagamos lo
imposible"
Recordando al Che.
If you don't come in, smile as you
pass by.

Lista de Washington Heights. 15'

Green Grill.
Hooky Party. Hookah Party. 99
flavors.
Café Soho Uptown.
Free delivery. Minimum $10.
Maximum 10 blocks.
Urgent Care.
Spa & Nails D' Nieves & Niobe.
Asia Nails & Threading.
Tortas. Quesadillas. Tacos. Burritos.
Habib 99 Cents.
Medina 99 Plus.
Lucknow 99 cents Store Closeout.
Frituras Delivery.
Puebla Aquí.
WH Hardware Ferretería.
Flat Fixed Del Montro.
Wine Bars. 1.2.3.4.5.
La Dulzura Restaurant.
La Picardía de Broadway Restaurant.
Tu Casa Restaurant. El mejor concón.
Geisha Japanese Restaurant.
Medical Insurance Para Todos.
Flu shot. Here.
Vaccine for your kids.
We flavor medicine.
Heights Yoga.
Bingo en la iglesia.
P Z Immigration lawyer.

Ápero Barbershop.

Los Minas Barber Shop.

En NY más de un millón de
dominicanos dot org.

Cojan ahí. Oro Diamante
plata cobre Pawn Shop.

Iglesia El Reino de Dios.

Iglesia El aposento de Dios.

Iglesia El jardín de Dios.

Iglesia La Mano de Dios.

Iglesia Cristiana Verdadera.

Iglesia Madre del Perpétuo Socorro.

Billar D' Moreno.

Salón D' la Rubia.

Maquillaje permanente. Extensiones.

Café & Grill.

Trufa Restaurant.

La Lupana. Mexican products.

Cambio hoy 44.50

A República Dominicana.

Aereopuertos -Puerto Plata-Santiago-
Santo Domingo-Punta Cana-Bavaro.

Mejores precios. Todo el año.

Envio de Cajas-drones-documentos
de Puerta a Puerta.Flores. Aquí y allá.

Para su madre. Para su amada.

Para su amante. Para su chapiadora.

Hermosas flores.

Mofongo D' Fulano.

Mis hijos Auto Parts.

Quisqueya Auto Parts.

La Altagracia Taxi Service.

Quisqueya Car Service.
Community bookstore.
Tres Leches phone card.
Play Lottery Here. Mega Millions.
Plátanos 6 X $1. Con la compra de
$35+.
La Altagracia Bakery.
La Represa Bakery.
La Chichí Bakery.
Caribe Laundrymat.
El Chino Beauty Supply.
Bella Beauty Supply.
Beauty Supply Rosa.
La mulatona Beauty Salon.
Modas Chic.
Modas Perras.
Wireless prepaid bill payment center.
Notary public.
Jesuscristo viene.
Translations.
Productos Naturales.
Russian products.
Greek Products.
Halal.
Smoke shop. Hookas and more.
Envios. Llamadas. Pasajes. Pagos de
billes. Money order. Envio de flores.
La Cantina Bar.
High Speed Electronics.
Solace Bar & Grill
Yes Sí Cigar Room.
Bar Billar Lounge.

Artículos religiosos en general.
Threading. Henna Tattoo. Facial.
Waxing. Massages.
Deli open 24 hours.
Pawn Shop open 24 hours.
Compre aquí su mejor bizcocho
dominicano.
We buy gold.
Tax services.
Pupusas & tamales de elote.
Radio Dispatcher Car Service.
Madison Avenue Radiology.
Restaurant Salvadoreño.
Restaurant Mexicano.
Chinese food to take out.
Check Cashing Center.
Banda Nuevo Amanecer.
Space for rent.
Una isla. Dos paises. Marcha.
For lease.
Cuco Galáctico.
El prodigio. Toda la noche.
El swing de aquí.
La romántica de allá.
Ladrón. Ladronaso. Ladronasasaso.
No elijámos a nadie coñaso.
El sol sale para todos. Casa de
empeño.
San Nícaro Multiservice.
Hay guáyiga. Imported.
Dulce café Dulce.
Broadway Smiles.

De la Bitácora de Chile

La extrangera y el Teniente Bello.
Cabalgan en el mismo universo.
¿Cambiarán dolares en el Palacio de la
Moneda?

160 Patria Nueva/Florida

En dulce.
Manjar.
Cada siete pasos, un alfajor.

Se arrienda.
Abarrotes.
Ximena y Xavier.
¿Vos cachai?
No estacionar frente al portón.
Loto   Revancha   Pirámide
Pan amasado empanadas pan especial
Palta.
"Era tan mal actor que lloraba de
verdad"   V. Huidobro
Super fantasía. Tus tarjetas de crédito.
Calle sin salida.
Casa del perno.
Fiesta dieciochera.
Plastificado   anillado.
Clases particulares de inglés
norteamericano.
Cambio de ruta por irreversibilidad.

Sr pasajero, si usted vá atrasado no es
culpa del conductor.
El regalón.
Todo a Luca.
Los Leones.

Detras de la Merced
hay una máquina que aprendió
el sonido de la lluvia.
Me despierta.
Me confunde.
En caso omiso a la razón
dejo que me arrulle.

El Mapocho escribe a diario la
historia.
De nuevo y siempre.
La grita a susurros.
Donde está seco, afónico,
ahí estan todos los puntitos de las ies.

Vamos a decir que fue ayer
Aunque ayer fuese un tiempo pasado
Aunque fuese tiempo
Ayer
Ayer pasado
Es siempre.

Atardecía y no nos dabamos cuenta
El sol entonces decidio despedirse
Lleno de cortesía
Lleno de calor

Lleno de luz. Sol al fin y al cabo.

El sol entró
Entró en cuatro espacios
En el espacio donde entreteníamos al
tiempo.

Y se requedo acariciando a...
Serenaba a...   se miraba frente a
frente con...   luz a luz con...
Contestaba las preguntas a...
y hubo quien preguntara todas sus
preguntas con respuestas incluídas.
Sol. Al fin y al cabo.

No hubo más que bucear en el
presente
Guiados obviamente por la Luz
Entrando en ella
Viendo la nuestra. Y su sombra.

Las palabras sobraban

Imagino que esté era el espacio-
tiempo donde se creó Valparaíso

Y entónces respiramos
En el mismo patrón
Una que otra lágrima
Una que otra sonrisa

Y el silencio agarraba fuertemente a
las palabras que querían juguetear con
la experiencia.
Para quedar a medias   dandole
muerte a destiempo a la plenitud
vivida.

Y respiramos.
Tomando el prana merecido.
Necesario.
El prana sanador
La lengua enrollada en sitali nos traía y
nos llevaba por esos mundos.
Por esos mundos.
Aquí   al ahora   al derecho
y al revés.
En milésimas de segundos   siendo
todo primicia.

Entrando de nuevo al sol.
Esta vez desde el otro lado de la
viceversa
Ya de noche
Con pleno sol interior esparcido por
toda la habitación.

El Patio de Letras se sostenía por la
cosquilla Divina
Y mis magos siguieron haciendo
alquimia   oro oro oro de las piedras.

Y la respiración despertó a un pajarito
que dormía en el dintel de la ventana
más alta.
 El pequeñin creyó que era de día.
Y es que también a mi me pasó.
Con tanta luz envuelta en silencio.

Se quedó en el espacio la imagen de la
mano. Precisa. Inerte.
Sabiendose existencia.
Mano en los tres tiempos.
Al mismo tiempo.

Recibí una carta de pocas líneas:
Ya es tiempo de que sepas que no te
puedo amar.
Que no te puedo amar más.
Que no te amo más porque no es
posible hacerlo.

El viaje puede terminar aquí.
No hay resistencia.

De la bitácora en Mojácar

Las Tijeras de Sebastián cortan el
silencio
Quizás cortarian las flores rosadas
ó las campanas moradas
ó las campanas moradas.
En este momento cortan el silencio.
El silencio…

Su padre hace treinta años sembró los
almendros.

El silencio espera por él ahí en medio
de la sombra simétrica formada por
los árboles.
Que bailan a la sosiego.
Congraseando su hoy y su ayer.
Con los pasitos de la dilación.
Hijo y padre se toman las manos.
Así pasan todo el día.
Algunas veces las manos parecen
rosas. Otras ramas. Manos.

En verdad lo ví cortar geranios secos.
Y los acostaba, lentamente, en una
carretilla pequeña de hierro.
Donde los llevaría a ser abono.
Creo que les hablaba.
Les cantaba.
Les rezaba.

Delicadamente los ponía en la
carretilla.
Con esa delicadeza de los jardineros.
Primorosa.
Que cuentan con el todo en solo una
rama. Con la tierra. Algún verde.
Todo su cuerpo estaba quieto.
Sus ojos miraban a los geranios secos
y solo su mano se transportaba de la
tierra a la carretilla.
Esos movimientos, todos iguales.
Sin prisa.
Baile intimo.
Bolero silente en Valparaíso.
Lo bailé al verlo.

Un camión   un tractor
ó un bulldozer
le ha robado el sonido a la sala de
intensivo de la urgencia más cercana.
Canta en pausas, también simétricas
y se queda repitiendo el beep beep
beep
como rapero inspirao
como telefono activao.

Las chicharras estan a to' volumen.
Hasta donde dice…máximo.
Sin pausa.
Con brío.

Una motocicleta es la traductora.
Amplifica a la abeja que besa y besa a
los barrotes de la ventana.
El sonido sube.
Parece que va girando por toda la
montaña- pueblo- montaña.
Llegó a la cúspide.
Ya no se oye.

La mañana trajo a la neblina.
Que en otro lugar sería el prelúdio de
lluvia
Aquí en este lugar
                  Eras del Lugar
Era hoy es   mi lugar
Pan de cada día
Por cierto,
casero
caliente.
Exquisito.

Sortilegio del primer Siroco

Esta tarde hubo una ráfaga intensa.
Vendaval. Con rumbo.
Que trajo la finísima tierra colorá de
África a su norte. En este sur.

Trajo un silencio de muchas voces.
Las chicharras se callaron.

Quizás así siempre saludan al primer
Siroco de la temporada.
Las imaginé con sus manos en sus
frentes. Las reclutas del sonido.

Se distinguen las voces del silencio del
Siroco.
Intensas.
Me han marcado.
Filigrana introito a otro siempre.

Las ventanas se estallaban contra la
pared.
Una y otra vez. Una y otra vez.
El silencio magnificó el sonido de las
ventanas contra la pared.
En poco tiempo ese silencio se tragó
el sonido de las ventanas en violenta
conversación con la pared.
Siguen las ventanas.
Una y otra vez. Una y otra vez.
Despues de trece minutos ya no se
escuchó ningún sonido.
Espeluznante.
Ese silencio aterra con lo que dice.
Aterró.
Y en medio de ese cuchillo hay algo
exquisito que reconfirma la existencia.

Se intensificaron los olores de lavanda
y del sumidero.
Cobre envuelto en morado.

Imagínalo como un furoshiki.

La tarde y el incienso.
Oscura.
Sándalo.

Cesa el viento.
Se posa la humedad.
El calor se intensifíca
Se nubla el cielo.
Y el aire que circula estrangula.

Los vientos del Sahara
Las ráfagas del desierto
El sur.
Y el norte del sur.
El misterio sin desvelarse…habla.
Lo sobrenatural de lo natural.
Y viceversa. Siempre viceversa.

Sorpresivamente, no hay ni una flor en
el jardín .
¿Costumbre?   ¿Inercia?

Anochece.
Los motociclistas tenían a las abuelas
rezando
El ruido ensordece.
Jode que jode con las motos.
El ruido, esa letanía de blasfémias.
Llevándoles a sí mismo todo.
Como todo.

Los jóvenes se alejan.
El sonido de las motoras se aleja.
Los perros del barrio entran ahora a la
sinfonía.
Se añaden a los grillos.
Y el viento.
Y la noche
Y uno que otro buho que se levanta
con la oscuridad.
Coyotes. Muchos.
Las montañas cercan la escena
Las montañas esperan dar el repique
del final.
Es la altura.

El viento entrecruza la espera.
A la espera se le resecan los labios.
Y las lágrimas se dibujan salitrosas
cerquita del tabique.
Contorno delineado. Seco.

Dominicaras Dominicosas

Johnny Pacheco

No fue KC and the Sunshine Band
ni Gloria Gaynor   Donna Summer
ni Bee Gees ni Chicago ni Nirvana
Alabama como en Hotel California
en La Romana pasaba

Aquí no
La 107 se arrullaba con Pacheco
Pacheco Tumbao añejo
Pacheco flauta
Pacheco su nuevo tumbao
El flaco de oro con el zorro de plata
El Maestro   El artista
Tremendo Caché compartido en Cruz
Juntos de nuevo como al detalle
Tres de café y Dos de Azúcar.

Y del artista con la paleta de colores
oímos lo que pintó
la salsa nos llenó la boca
nos movió los pies
el corazón en su constante baile
sonrió.

La salsa como cuerpo del delito se
dejó ver por los rincones de la boca.

Los pies como miembros activos de la
ganga del ritmo en punta y talón
atacaban por arte y con magia.

SIMA SUMA SIMA SA SA

Oí las nanas de la 107
a la altura del Altísimo
nuestra gracia   alta en la casa mía
en la del vecino   en el bloque entero
Alta en la mía hasta que llegara mamá
del trabajo
En otra, una vecina se encomendaba a
Tatica de Higüey
Ofrézcome a la Virgen de la Altagracia
ya no hay respeto ó hasta que llegara
Lajara a frenar el relajo. Lower that I
said.

Agua   sin lluvia   hoy Café
requete colao'.

A puro tumbao, se construyó este
paraíso de memorias,
con los acordes en mis adentros
en vigas de vida
en zapata de nuevos pentagramas.

Y la trompeta haciendo maravillas,
Atacando, acariciando, fraseando.

Y hoy repito cortes
repito coro
repito letra
repito improvisación
repito baile del diapasón
que midió a los acordes
con precisión de bisturí.
Acordes tuyos   ahora y siempre
míos.

Y vi que las nanas de la 107
el repertorio del bloque
era una fotocopia de Nueva York.
Nueva York   el nuestro.
El Nueva York que se miraba con las
ropas de domingo cualquier día de
semana
Una y otra vez los mismos
en la Mirage   La Manganette   Corso
Ipanema   Roseland   Copa
Chepín   El Final
Cualquier fin de semana y aún más
como el lunes no se trabaja
una y otra vez los mismos
la gira en barco   la montaña del Oso.

Y Pacheco   el cibaeño
quedó faisinado con el faisán
Sin saber francés ordenó usted
Sin saber por qué se bailó el bembé.

Trajo a la salsa el merengue
como diablito escapó
al guabá picó
al perro amarró
y pun pun catalú
no aguanto más.

Erguido   el canoso sabroso
Genial   el flautista canista.

Produjo Pacheco el querer de Calixte
Cantó Casanova su ideal de hembra.
Mis hermanos se creían los coristas:
"que me da la vida que me de besitos
todos los días".
Con igual dosis de caché y sabiduría.
Yo rezaba, en mi mente, para que la
muchacha tuviera un hermano
para así nosotros desde la 107
hacer un do' pa' do'.
Trompetaaaa. Ataque.
Flauta. Solo.
Trompeta. Ataque. Y el mambo ahí.
Marcáo con el cencerro más preciso
de la bolita der mundo.
Y el coro dice: Ay yo quiero…

Pacheco no estaba lejano.
Estrella que no vi cerca.
Creíamos saber de él por sus tantas
producciones anuales.
Tantas y nuncas suficientes.
Nos malacostumbró bien.
Con tumbao.

Hoy tiene plata en los cabellos
y los huesos rellenos.
El antes flaco   hoy y siempre de oro
sabor de nuestra historia
Algunas veces se apoya con bastón.
Sigue el sabor   el mismo corazón
La misma voz.

Pacheco   Dicha Nuestra.

De Una Dominicanyork en Andhara

Aquí es un insulto decirle a un
hombre que usa pulseras
Timacle   mi amante   las usa
perlas cobre madera plata
lo guían sigilosa y deliciosamente
a adivinar mis deseos
a tocarme donde florezco.

Era domingo.
Los gritos de los niños y los ladridos
de los perros competían para desflorar
el silencio sagrado que trae el día de
alabanzas.
A las 4:00am   unas campanas
despertaban a un Dios hindú   quien
después de tanta oración mendicante y
poco agradecida se confundía de señal
y se creía invitado al apartamento
contiguo.
Aquí   en el edificio Satguru.
Aquí nadie va a dormir. Nadie.
Tarnaka más vale que se ponga a
rezar.
A las 5:00am   un grito gutural y
contínuo llamaba a los musulmanes a
postrarse a Allah

Yo en mi personaje de foránea
dormía con las piernas abiertas al calor
del verano y al sueño mojado.
Mientras Dioses y Profetas se rifaban
los altares del barrio.

Hacen su agosto
están como un 4 de Julio
Los barberos están como el arroz
blanco
Tocando en cada bautizo de muñeca.
Hay un destiempo que el pentagrama
goza atribulado.
El trompetista sopla su alma
tiñiendo la fanfarria de azul.
7:00am   9:00am 3:00pm 10:00pm
explotan como montantes
en el camino de la tradición
de orgasmos esperados
los del varón.
7:30am 9:00   3:30pm   10:30pm
Y es que ni ese Dios fabricado
permite los deseos nunca dicho
Derechos Divinos
orgasmos de ella

Predicho: ley azul

La foto que no tomé...
La foto que organicé en mi
pensamiento
La foto que vi
La foto que soñé

1ra
La tierra florecida de mostaza.
Se pinta de Amarillo.
Amarillo mostaza.
Amarillo brillante.
Amarillo que juguetea con el poco
viento que éste calor le puede ofrecer.
El horizonte no da preludios.
Salta al más verde de los verdes.
A un verde brillante.
Verde de matas de plátanos y guineos.
Verde, verde.
Querido de cualquier color.
Fuera del centro, hacia la izquierda,
en medio de la siembra de mostaza
florecida, una mujer esta de pie,
vistiendo un sari rojo.
Su cabeza toca el horizonte verde.

2da
La tierra florecida de mostaza.
La pinta de Amarillo.
Amarillo mostaza. Amarillo brillante.
Amarillo que juguetea con el poco
viento que éste calor le puede ofrecer.
Amarillo tibio.

El horizonte no da preludios.
Salta al más verde de los verdes.
A un verde brillante. Verde de matas
de plátanos y guineos. Verde, verde.
De cualquier color querido.
Fuera del centro, hacia la derecha,
en medio de la siembra de mostaza
florecida, la mujer del sari rojo
caminaba a paso de hormiga.
Entónces éste sueño rojo en
movimiento lento, queda con su base
amarilla; su horizonte y cielo verde.
Y un rojo, rojo brillante, fuera del
centro. Centro derecha.

3ra
La tierra florecida de mostaza.
La pinta de Amarillo.
Amarillo mostaza. Amarillo brillante.
Amarillo que juguetea con el poco
viento que éste calor le puede ofrecer.
Amarillo tibio.
Amarillo que grita Amarillo.
El horizonte no da preludios.
Salta al más verde de los verdes.
A un verde brillante. Verde de matas
de plátanos y guineos. Verde, verde.
Querido de cualquier color.

En el centro, en medio de la siembra
de mostaza florecida, la mujer del sari
rojo se convirtió en un circulo rojo, en
medio de ese amarillo mostaza con
cielo verde.
Flexión desde su tronco.
Entonces ella es un círculo rojo.
Ella fuego. Manzana. Sol.
Ella. Deidad del día.
Un círculo. Rojo.
Ella, rojo suspendida en Amarillo,
con cielo verde.

De Como la una

Entendí. Entendiste.

Si es que en verdad entendemos…

Entendemos diferente.

La decisión estaba siempre posándose

en el teorema de Godel y en el efecto

de la mariposa.

Entre un sistema completo pero

inconsistente.

O uno incompleto pero constante.

Preferí lo incompleto.

Preferí lo constante.

Cierto que una mariposa que bailaba

en Pengosekan, Bali, ayudaba a mi

reflexión; al rítmo vital en los pasos de

mi baile.

> Yo bailando aquí en
> Nueva York.

> Yo bailando allá en La
> Romana.

Yo bailando.
Yo.

Prendo en vida todas las velas de mi
muerte.

Todas las flores para ésta anima, ya
han adornado mi cuerpo y mi hogar.

Salí a tu encuentro.

Para entretener por un momento la
soledad.

Necesito pocas horas de tu compañía
para poder seguir sin ti.

Hago mía tu tibieza.

Juego a las escondidas conmigo
misma.

Reencontrándote.

En esas pocas horas del tú y yo.

Universos en cada instantes.

Descubro lunas de tres colores en la
habitación.

Amanece y atardece.

Los colores del cielo también entraron
a la habitación.

Estos universos siguen
centuplicándose.

En el siempre.

Sonríen todas las fibras de tu alma.

Encandilando tus ojos.

Co-alquimista de esta intimidad que se
abraza de pétalos y sudores.

La devoción a cada segundo hace que
ningún tercero sea comensal invitado.

¿Será apropiado darte las gracias
hombre miel?

Reniego solo por ocio lo que tengo en
el riñón.

El alma me recuerda vestirme solo
con delinearme los ojos.

 Con el carbón mas negro.

Ahora parecen almendritas.

Sí, mis ojos parecen almendritas.

Asi que me vestí con dibujar de un par
de almendritas.

Así…

Salí de tu encuentro al sol.

Mi silencio no es ese dedo que quiere
tapar al sol.

Es ese dedo que lentamente dibuja al
sol en los contornos de los adentros.

Surce las complejidades.

Borda, juega, salta en punto de cruz.

Primero mostrándome las cadenetas
de mi responsabilidad en el hecho.

Sí, sí, sí las polaridades se tejen en el
silencio.

La artesana es la que habla.

Sin obviarlas. Sin abusarlas.

Deshilachando todo el género.

Sus patrones como laberintos.

Sus diseños con toda la gama de

colores, sabores, olores, dolores.

Flores.
Con o sin espinas.
Dolores. Flores.
Convento con flores.

Las mías.

Deshojadas solo por un suspiro.

El mío.

Convento sin flores.

Justo el mío.

Recalcándome mi siempre

complicidad

en cada hecho.

Dicho. Hecho.

Por esta quien suspiró.

Por este quien suspiro.

Gimiendo. Sin llorar.

En ningún valle de lagrimas.

Justo en una esquina del laberinto.

Justo ahí.

Abogada nuestra.

Justo juez.

En este destierro de nuestro tiempo.

A otro idioma. Lugar.

Con otro tiempo.

Justo.

Justo en otro tiempo.

Justo sastre.

En el afamado libre albedrío.

Sigo caminando en vida acompañada
del batallón de mis muertos.

En vida muriéndome.

Ellos muertos en vida eterna.

Hasta un día. Hoy.

Era hoy, día de mi muerte, que menos
quería compañía.

Cuando se acompañan los otros.

Sus sentimientos.

Sus miedos. Sus remordimientos.

Hoy con todos aquí,

Hoy, por estar todos aquí,

se me hara más difícil la primera

noche de muerte.

Ana y Anand

Ana y Anand tienen 7 años.
Ana y Anand son intérpretes y
traductores.

En la sala de espera de la Oficina de
Transporte en Harlem, hoy, hay
muchas personas. Se escuchan
diferentes idiomas. Y somos todos de
colores. De variados colores, como los
pajaritos que vienen de afuera.

Divididas y separadas por dos sillas
vacías, están las dos familias de la
historia. Cada una con un padre, una
madre. Un niño en la familia de la
derecha. Y una niña en la familia de la
izquierda. La niña de la izquierda,
independiente y con la sabiduría de lo
que es mirada y sonrisa hecha al
mismo tiempo, invita así al niño de la
derecha. Salen los dos corriendo,
pensando con el corazón; actuando
con la cantidad de sus años que los
urge a pintar el lúgubre espacio de luz.

Los padres de cada familia dijeron al mismo tiempo, sin mirarse:
Meena, María.

Pero las madres, Meena y María, se miraron. Sonrieron. Estuvieron de acuerdo con la acción de los pequeños. Y sellaron el pacto alzando y bajando cada una sus hombros.
Los hombres movieron sus cabezas.
Cada uno con su particularidad.
Uno, con un no, parecido a un sí.
El otro, con un no, que repetido tantas veces se convertía en nonononono.
Pero entendí que decían:
"No le das disciplina. A esa niña no la conocemos. No es como nosotros. Por eso esta así. Aquí los niños se crían diferente. Si fuera en mi país…"

"No le das disciplina. No conocemos a ese muchachito. No es como nosotros. Por eso esta así. Creciendo de su cuenta. Aquí los muchachos se crían diferente. Si fuera en mi país..."

Ana y Anand jugaban que eran
aviones.

Sus cuerpos en cruz, aleteaban,
despegaban, aterrizaban; derechitos al
seguir hacia delante; al doblar a la
derecha las alas de la derecha bajan.
Hay turbulencias.
De nuevo, derechitos. Hacia delante.
El avión se empequeñece y se queda
en la mano de cada uno.
Y seguían su rumbo en un universo
medido por las miradas de sus madres.
Cada vez que miraban una parte del
cielo que recorrían sus aviones, los
pequeños decían los colores que solo
ellos veían.
Rojo. Yerra. Amarillo. Pasupu
Verde. Peccha. Azul. Neeli.

Los pasaportes posados, reposados y
descansando en las muslos de las
madres trataban de obviar las largas
filas e innumerables pagos hechos en
los países de origen; permiso oficial
para ser "NRI" y "Dominicano
ausente"; sellando el paso al delirio del
tan mencionado sueño de estos lares;

agradeciendo en susurro perenne las
oraciones mendicantes y las lámparas
hechas a cambio solo de un sueño.
De solo un sueño. Solo uno.
Uno.
Tranquilos, los pasaportes,
identificaban los países, como el atleta
de presea de cobre:
Pasaporte de la República de la India.
Pasaporte de la República
Dominicana.

Los padres de Anand eran de
Hyderabad.
Los padres de Ana eran de Higüey.

Meena, con su superstición hecha
trenzas Y María con la de ella
desrizada, mataban el tiempo de
espera cantandose y llorándose.
Contando los beneficios perdidos y
ganados en este primer año en Nueva
York. Un Nueva York, en el que
hacian lo mismo que hacian
en sus países. Un Nueva York que no
está en la postal.

Un Nueva York en el que no han
visto al primer gringo rubio, que
vieron tantas veces en sus países.

Meena y María eran las magas de los
dulces hechos de leche.
Allá en Hyderabad.
Allá en Higüey.
La magia, alquimia con secretos de la
familia.
Secretos a voces. Trucos que todos
saben. Recetas de un pueblo entero.
Cardamomo. Papa. Papel de plata.
Cajuil de la Enéa.
María trajo a Higüey en sus aretes con
La virgen y la Basílica.
Meena trajo a Hyderabad en sus aretes
de perlas comprados en Basheer Bagh

Rojo. Amarrillo, verde, azul, Amarillo.
Pasupu. Yerra. Neeli. Peccha.

Anand hablaba en Telegú
y Ana le respondía en Español.
Ana le hablaba en Español y Anand le
respondía en Telegú.

Han llamado a los padres de los
aviones-pilotos-pilotos-aviones, que
en su recorrido creaban y pintaban
colores en dos idiomas, aquí en la 125.
Sonrieron al despedirse. Y en los tres
primeros pasos hacia sus padres, sus
cuerpecitos asumieron la postura del
intérprete.

-Who filled the application?
-Me
-From where is this little voice
coming?
Dijeron al unísono en las dos
ventanillas vecinas que atendían a
nuestras familias.
-"This voice is coming from my
mouth". Respondieron los dueños de
colores, en idiomas de la casa y
nombres con A en sus iniciales.

Masticando sus respuestas con
sonrisas, mientras los padres los
cargaban.
Anand en ese momento dijo los
colores en español.
Ana en Telegú.

Levente B & B
(Levente book & blog)

De Levente no.
Yolayorkdominicanyork

Quizás se llama Jahaira, Jessica,
Yesenia, Jennifer, Isha, Aisha, Ashley,
Michelle, Chantelle, Tiffany,
Stephanie, Melody, Nicole, Destiny,
Ambar. Katiuska, Ninoska, Veruska.
O Yaneris, Yuleidys, Yubelkis, Orlidy,
Isawil, Marnel. Phoebe, Chloe or Zoe.
Uno de esos nombres de las niñas de
la migración.
Lo que sí sabemos es que es 1ra
generación.
High school? GED.
Con 27 años de edad
Cumplidos   vividos
viviendo   viviendo
27 pa'50.

Siempre aquí suena una sirena.

Ella:

¡Whatever!
But in terms of my name...none of the
above 'mija.
I am pure history. Mira. Seat.
Seat and listen.

My name is Quisqueya Amada Taína
Anaisa Altagracia Indiga.
You can call me Kay.
El cocolo, mi Timacle, calls me chula.
He calls me Chula and his derriengue.
And the rest Gorda. They call me La
Gorda.

Chiquita, gorda, mal tallá.
No soy vacana. Ni matatana
ni un mujerón.
Muy normalota. Molleta.
Una morenota.
Otra prieta más. Sin na' atrá.
Bling bling ain't for me.
But you will not believe lo que yo
gusté en Erre De.
Well, not me, me, me.
But me my USA passport.
Me my many gifts.
Me paganini.
Me my hot hip hop steps.
Me mambo violento.
Mambo de calle.
Mambo rabioso.
Mi mambo sabroso.
Raggetón.
Bachata urbana.
Dembow, dembow, dembow.
Boleros not even in a dream.
Me my mami chula salsa swing.
Me Chercha Royalty,

Merengue Queen,
Bachata Princess.
Me Queen of the Can.
Domini can that is
Me, my bachata perreo.
Clothes and accessories
as in the lastest video.
Eee Ooo.
También mandé tres cajas de comidas
y dos drones, full de to'.
¡Hello!

Gladly, a mi vecina se le murió la
abuela que la crió en Di Ar.
Di Ar. Done right.
Ay, que Dio'me perdone.
But she too, FFF. Flying for funeral.
She went. Stayed three months.
And came back pregnant.
Ella es más prieta que yo.
Moño ma' malo que yo.
She is bigger than me. Mad bigger
than me.
And she does not even have los ojos
de gatos that I do.
My Derek Jeter killer-look.
El Jeter que llama con Avon también.

Narrator:
The rolling-eyes queen, Miss Thing,
Miss Attitude, Miss "I have
everything in the hood" goes to Santo
Domingo.
But not really Santo Domingo.
She just landed in the Airport, Jose
Francisco Peña Gómez International,
near Santo Domingo. And from there,
she went straight to La Romana.
La Romana for locals.
La Romana sin playa.
La Romana entre el batey y los
turistas. Los turistas en sus potreros
Resorts. La Romana en motoconchos
de 20 pesos….

Mira, mira, mira, una bolsa grande de
Conway. Oh sorry comadre, I forgot
what is bolsa for us here.

¿Cuál, cuál, cuál de ellos?
Oh that's your bolsa ummmmju'.
El compadre es flaquiiiito. Y se para
derechiiito.
No es muy alto. That's why.
El compadre vino como dice mi
mamá, con una trulla.
They're checking me out.
Me too. I'm checking them out.

La trulla me chuba a un jabao que
ellos llaman El Sueco. I am not into
no jabao. Fuck that.
Many in la trulla don't work. They still
live with their mothers,
mamagüebiando.
I knew it, I knew it. I knew there was
a damage. I knew it. Far Out I did. I
knew it!

Me gustó el más negro de todos.
Porque el negrito de la vida tiene que
ser negro de verdad. No habla mucho,
ni necesita hacer reír a los otros.
Espero que baile salsa.

Ella-el-Pueblo(s)
- ¿De dónde tú eres aquí?
- De aquí. Mi famila es de aquí.
¿Pero cómo me preguntas eso
yo encuera muchacho?
-Sin ropas es más fácil decir
verdades y mentiras, Gordi.
-Oye a 'ete. Donde mi familia vivía
me dicen que ahora hay un car wash.
-¿Cómo tú pronuncias eso?
-car wash
-ay mami qué lindo tú hablas.
-Mira muchacho deja la muela.
  LOL

Sorry that I jumped to our 1st motel date. The enamoramiento part was not unique. It was as my mother told me. He even used the same exact words that she said sooo many times. You know, the usual güavas:

"¿Ves esa estrella?, es tuya"
"y cuando tú te vayas, ¿qué me voy a hacer? Tú estás en cada lugar aquí"
"te regalo esa luna llena"
"me estoy acostumbrando mucho a ti".
"¿Dónde tú estabas? Te he esperado toda la vida".
"Tú eres hecha a mi medida"
"Yo nunca había conocido a nadie como tú".
-¡Achu!
¨yo quisiera llevarte a un sitio chulísimo. Mira tú no vas a creer que estás aquí. Vas a creer que estás en Miami. En Puerto Rico. En Italia.
-Gracias, pero yo vine y en verdad quiero estar en la República Dominicana.
¨Tú no entiendes. Es un sitio como de las películas. Sale en las revistas. En esas revistas de gente blanca que dizque son de aquí.
-Mi amor, el que no entiendes eres tú.

Si yo quisiera ir a Miami, iría a Miami.
Esa revista no retrata mi La Romana,
ni mi tú, ni mi yo.
¿Tú lees esa pupú? ¿Qué pasa More?
No sólo para peinarte o cargarte esos
ojos negros tan bellos...

Even though I knew he ain't for real.
My eyes became stupid, como los ojos
de las otras mujeres enamoradas. I
mean stupid. Real stupid.
I paid in my heart and in pesos for his
company. I paid every bill. Moteles,
restaurants, disco, Basílica, frituras,
gasoline, pal' río, pa' la represa. Y por
unos fucking pantalones blancos que
él no quería, él ne ce si ta ba.
I paid. I gladly paid. But for sure, he is
one dude that cannot impress me
ever.
Yo fritura circuit king, you cannot
impress me spending other people's
money.
Especially, my money. Ay ñeñe. Fuck
that shit.

-¿Mami, cómo tú ta'. Tú tá asutá?
-¿Asustada? ¿Tengo que estar asutá?
More, de lo que yo me asusto tú te
mueres. ¿Asutá yo?
-Eso es lo que todas ustedes siempre
dicen.

-¿Ustedes? That's plural honey, A lot
of people involved. I don't do trios.
And no fucking for, on, in a video. I
ain't no swinger.
Don't count me in.
-Ya salió la dominicanyork.
-Pena. Salió y no llegó.
-Mami, tú si te ves linda peleando.
-Que disparate es ese. Mejor me veo
fea and get my point across. Papi.
-¡Tienes mieeedo!
- ¿Miedo? Ay muchacho, hasta ahora
sólo le tengo miedo a las banderas.
-¿A las banderas? Tú ta' loca
muchacha.
-My post 911 shit, I guess. Babe 'cause
is all about me.

We all live in the same building.
El Ni e´.
My mother, grandmother, la comadre-
mi madrina, el ejemplo, la quiero a
morir. Estela La Colora' del 3A. La
flaca del 6J, la que jode con los
jodedores de la esquina. Y cuando ella
jode, la línea J completa lo sabe. La
cama salta, ataca. La cama baila. Y la
música a mil. Y todos cantamos
"Sigue flaca, sigue, sigue".
wwwlaflaca punto com.

Tenemos a Ramona la que vende
ropas de marca, pampers para
muchachitos y viejos y joyas de plata.
Doña Altagracia, la que cuida niños y
los busca a la escuela. Miledis, la que
arregla uñas, hace tubi, rolos. Y pasa el
blower. Dorca, la convertía que hace
cortinas y cubrecamas.
Argentina lee taza. Bélgica traduce,
llena formularios y los taxes.
Minga, la que camina para que la vean.
Anda tuti, cuerpo ñoño. Porque ella se
siente buenonga. Privando en su rabo
parao. Su fuiche pullú. Su culazo.
Asia da cantinas. Ada da consejos.
Incluido el de lavarse con alumbre. Y
Miguelina, la del 3m, se lo da al
bodeguero. Ese que le dice "primo" al
barrio entero.
Janitzia, es de México. Nació en una
isla en medio del lago Pátzcuaro. Se
oye chulísima cuando dice "El
mamagüebo ese", refiriéndose al
dominicanaso papá de sus hijas. Las
hijas como la mai con nombres de sus
islas, La Pacanda y La Yunuén.
Su ahorita es ahora. Por eso es la
dueña de todos los puestos de "Jugos
naturales de frutas DominiMexi" del
barrio. Antes vendía flores y se la
llevaban presa. A ella y a las flores.

¿Adivina el crimen?
El mismo tuyo, que está aquí sentao
quitao de bulla.

Está Doña Petra. La única cubana que
nos queda. No conoce a Juana.
Es la que todavía tiene una poli lak.
Cuando sale deja el radio prendío para
que los ladrones crean que hay gente.

Los viernes llega Atalanta de la
factoría de Ignacio y frente al buzón,
viendo sus biles grita: "Llegué yo, la
hija de Esperanza la billetera. Cansá,
cobra´, cabriá, con celular y celulitis,
comiendo cerezas y ciruelas.
Cámbiame los vasos y los hombres,
coño".

El hijo de María es su hermano.
Y su papá también es el papá del hijo
de su hermana. Su sobrino es su tío.
Su abuelo es el papá y marío de su
mamá. Ese braguetú no ha ido a la
cárcel ni de visita. A la hermana de su
mamá le pasó, una sola vez, lo mismo.
Pero esa lo resolvió diferente. Esta
pre-ciosa. Pre-sa. Que fuellllte. Porque
el abuso es el abuso es el abuso es el
abuso. Lo haga tu mai, tu pai,

tus hermanos, tus amigos, tu marío,
tus hijos, el gobierno, el circo de los
hermanos Barnum, el del Sol o los
santos celestiales.

Dulce, la del 4d, con su par de
árganas, cananas como caderas. Sin
complejo, con sus chicle rojos, sus
licras marcándosele hasta el
pensamiento.

La hija de Clarissa la rayana, la del 4to
piso, se puede volver loca de tanto
estudiar. Se graduó aquí, se fue upstate
y se graduó dos veces. Ivy league, liga
nacional. La biliger. Cuando viene,
cree que está visitando al zoológico.
Nos pregunta muchísimas pleplas.
Dice "Wow" cuando le parece bien.
"Oh My Godness", si le sonamos mal.
Come fat free sancochos, las
habichuelas con dulce 2%, bofe y
pipián con 0 trans fat, chicharrones
sin colesterol, eco-friendly morcillas,
sus empanadillas sin cafeína y
yaniquecas light. Mucho fiber, mucha
vitamina, antioxidantes y mucha cosa.
Ella fue con sus diplomas, amigos
americanos, su ropa Banana Republic
y su corona desrizá, a la influenza
Condi Rice y no la dejaron entrar a

una discoteca por prieta. A la fiesta
que pudo entrar, no la sacaron a bailar
por lo mismo. Y yo no he visto al
primer dominicano blanco. Deben
existir. Pero yo nunca lo he visto.
¿Tú te imaginas, a un dominicano
blanco? Oye a e'te dique blanco.
Mírale la nariz. Mírale la boca. Mírale
las nalgas. Míralo bailando. Esas no
son cosas de blancos.

Doña Tata, la del 3J, siempre insulta a
todos igual. A las mujeres: "Mire
tierrita, panti sucios. Sin concepto ni
pregenio". Y a los hombres: "Mire
tierrero, huele panti. Sin concepto ni
pregenio". Los muchachos de la
esquina la llaman el Secreto de
Victoria.

¿Tata que tantas pasas le diste al niño.
Ahí ta fajao con muchas pasas en la
boca?
-No le di pasas. El ha estado
tranquilito jugando en los gabinetes.
Deja ver que es lo que tiene en la boca
el jodio muchacho ese. Ay Jesucristo
Sacramentado. Mírale los buches
llenos de cucharachas. Miiira mira.
Las cremitas de las cucharachas en
toda la cara. Y las paticas de las
cucarachitas en sus dientecitos.

Hay Dios mío. Este muchacho me va
a matar.

Oye, una sirena siempre aquí.

Mi varón no es muy dotado en su
parte que digamos, pero con lo que
tiene hace maravillas. Sus dedos son
de o ro ro y su lengua de diaman te te.
Yo me llevo de los hom bre bre...con
su palabrita dul ce ce...

Demos gracias al Señor Dios.
Es justo y necesario.

Una sirena, oye, aqui siempre.

¿Topo Gigio, donde estas?

 Bellow some tags and trigger words
for the engine searching for me:
York Dominican, Dominican York,
York Dominican York,
dominicanyorkness,
DominicanYorknity,
Dominicanyorking, Yorkdominicania,
Yorkdominicanyorkneo,
Dominicanyorkiando,
Dominicanyorkinidad.

Yaniquecas

Taza y media de harina
1 cucharada de baking powder
1 cucharadita de sal
1 cucharadita de azúcar
4 cucharadas de aceite
1 huevo
1/3 agua bien fría

Junta la harina, azúcar, sal y polvo de hornear. Hazle un hueco en el medio. Pon el aceite ahi. Y mézclalo todo con un tenedor. Agrégale el huevo sin batir. Sigue uniendo todo.

Lo último es el agua. Agrégasela poco a poco hasta formar una masa suave. Amásala en la mesa (ponle harina primero).

Haz unos bollitos. Y con una botella o el bolillo extiende la masa. Dándole forma redonda. Hazle dos pequeños cortes en el centro para que no se inflen al freírlo. Fríe las Yaniquecas en mucho aceite (bien caliente) solo dóralas de cada lado. No la dejes quemar. En vez de freirlas, las puedes poner al horno. Si es asi, hazla mas finitas.

Sí coño, en su boca quedo.

Cuando te encuentres con Matilde la del 6E en el laundry, ponle atención,

que todo lo que tú digas ella lo tiene o
lo hace triple. Hasta una enfermedad.
 "Anoche cociné un pastelón de
berenjenas con arroz. Me quedó bien
bueno".
"Yo también cociné lo mismo pero a
mí me quedó más bueno porque le
puse sopa de cebolla en el caldo".
"Uyy, este mes la luna me llegó de
muerte".
 "Eso no e' na, la mía fue la acabose.
Tuve que venir de la factoría. Con los
pantalones manchao, el suéter
amarrao en la cintura. Con vómito y
diarrea. Recomendá pa' hilacha".
"Mi papá se murió". ¿Y el tuyo,
cabrona, se murió en la Tierra y
revivió en Júpiter?
ROFL.

¿Y tu, cómo dices quién eres?
Dominicano, Americano, de Las
Americas, del Caribe; eres Isleño, de
Hispaniola, de Ayti; taino, Africano,
Españollllllll; Afro-dominican, Taino-
African Dominican, Dominican-
American, Dominican-York, del
surrrrrr, del este, del cibao, del sur de
la florida, serie 23, serie 26?
¿Yo? Yo hoy soy una
York-dominican-york.
Ya lo sabes.

Levente B & B
(Levente book & **blog**)

Do I look like

I like peluches? Pleeease. Ubícate.

The A train Kiss

Despues de la media noche, venía con
mis canchanchanas.
Estábamos en la calle. En lo mismo.
En na´. En beba. En desorden.
Me siento en frente de las muchachas.
Sola. De reojo vi a un jabao sentado
en la otro lado. Solo lo ví. Solo pense:
ese candaíto se le ve muy chulito a ese
jabaito.
Ya sabes cómo uno es cuando está en
grupos. Hablabamos aaaaalto.
Cantábamos anuncios de la radio y la
TV. De aquí y de allá.
Cerré los ojos. Los abrí un chin.
Oh oh!
 El mencionado jabao estaba en frente
de mi. Ique viendo el mapa que estaba
detrás de mí. Ique viendo el mapa del
tren. Viendo lo que él se debe saber by
heart. Sentí que se acercó. No al mapa.
A mí. ¡Y PA! me pegó un beso en la
frente. Qué vaina más tierna.
Le dije: ¿Ya me besaste ahí?
Ahora besame aquí.

Y el también lo hizo.
Oi que las muchachas solo dijeron
"no la conocemos. Ohh nooo, she
didn´t".
Yes I did. I did say it.
Yes yes yes.
I got his digits. And seven kisses.

Se lo buscó. Y lo encontró.
TITUAAAAA
Saliendo de la guagua, solo le rocé con
mis dedos la freaking cartera con
nombre en una plaquita. La tipa me
dijo: La concha de tu madre negra
gorda. Me regrese. El juidero.
 La seguí hasta la cocina de la guagua y
le dije a toa boca: El güebo de tu
padre blanca flaca.
La tipa en tembladera. El chofer en
risa. Espere la próxima parada por si
acaso había algo más que aclarar.
Nothing.
Nada más was uttered.

Hay gente...
que cuando estan preparando tacos se
los comen to', antes de llegar a la
mesa. Hay gente asi. Ay siiiii. Y bueno
que estaban. Taco inventor is in my
altar.

Óyele el galillo

a la culichumba del 7b
"Me cogieron los cieguitos.
La suerte que sabian el camino del
guto¨.
El genio del Ni e´ definitivamente
se especializa en el guto.
Gustitis Nielatum
Compadrum!

Solo quiero saber

¿Quién fue el MMGaso que dejó la
bocina prendía toda la freaking noche?

Lo ultimo fue

Su "Yo te agarro bajando" con un
acento rarito. Yo envalentoná con eso
de la víspera de primavera, le corté los
ojos. Lo dijo de nuevo and I dissed
her with my hand. Seguido por
guardarla en el gabinete.
Detrás de las cajas de epaguetisss.
Sí. Así fue. Y hoy he regresado a la
Swiss Miss, como una gringuita, con
tres I'm sorries. I'm sorry. I'm so
sorry. I am really sorry. But you know
the deal. And cold is cold is cold is
cold. Para suerte mía: Those who
know their duties and season do not
hold grouches. Aquí ta botá la Swiss

Miss. A la avena la puso homey.
La taza se llenó de chocolate batió.
Arreglao-canela, clavo dulce y
malagueta. Flotan los mashmellows
miniaturas. Yo le puse de los grandes.
Enormes. Pasas. Para la sorpresa.
En la bajadita…indeed.

Papi chulo quería cocinar.
Obvio yo le celebré su hazaña. Sea lo
que sea, todo es salvable con rociarle
queso parmesano güallao.
Puede ser el de la latica verde.
Ese lleno de quimicos que sabe más
bueno.
Si hay un pedazo de queso…rallao en
pedacitos…eso arregla to'.
Algunas veces, la intención lo vale
todo papi chulo. Buen comienzo
More. Mira que chula te quedo esa
ensalada. Los tostones salieron
bueniiisimos.
Como cocina no camina.
Como camina…me guarda el concón.

San givin en el Ni e'
"Los pilgrams de aquí comeran
epaguete con pan. Torki cojone. Que
yo doy gracias todos los días sin hacer
ese show". Hablo La Revejía de
noveno piso.   Yo que conozco muy

bien esos epaguetes….le dan tre' patá
a la comida de la postalita san givin'.
Eso le pone leche evaporada con
queso, pedacitos de auyama, pedazos
de queso, y le pone arriba del queso de
freir rallao. Y su vecina, La Grande de
Villa Faro tendra su "tradicional cena
de pitsa, y que se joda".
My land. El Ni e'.

Angelito en el Ni e'
Sin oficio, dijimos todas. Y ahora esto
se ha convertío en un Can. El título se
lee…bien. Mi angelito es plebe.
Definitivamente plebe. Y me deja los
mejores regalos: Pan con mantequila,
tres bizcochos Tres Leches. Me dice
mardita gorda te amo. Firma tu
angelito. Firma a tu angelito para
grandes ligas. Mañana se celebra el día
de las preguntas a los angelitos.
Díganme algunas, plis.

Los angelitos toman el lobby
Angelitos pueto pa' lo malo. As in
bad-e' good. Todo el lobby del Ni e'
es heaven. Angelitos en licra,
Angelitos con tubi, angelitos con
rolos, angelitos en pijama, angelitos

con una taza de café en mano,
angelitos en batas, angelitos en
pantalones de corduroy ma' apretao
quer diantre, angelitos dando queja,
angelitos en chismes.
Angelitos que hablan duuuuro estos.
Estos angelitos tomaron y toman en el
lobby.
Caféchocolatetedegengibreromomama
juana.

¿Que pueden preguntar los angelitos del Ni e'?

Esos angelitos preguntan las vainas
más pendejas, las más obvias, las más
frescas, las más heartfelt, las más no
necesitadas, las del a-mi-que-me-
importa y su viceversa.
¿Dime seriamente tu segundo
nombre?
¿Que hay de cierto en que el tipo no te
arregla nada bien pero sí a tu cuenta
de banco? ¿Es verdad que tienes
una palabra magica para alejar a los
ratones? ¿Cuál es la razón por la que
nunca has regresado a República
 Dominicana?
¿Que se lo diste al Pora para que te

arreglara los gabinetes de la cocina en un día? ¿Que fuiste a la Universidad y en verdad no te sabes las letras del alfabeto?

Ay mejolllll dime la respuesta y te hago la pregunta.

Hay días así

Que los peos son calientes. Que los peos son picantes. Picantes. Picantes. Hay días así.

Glad for the nairinai

Siiii, los seniors habibis tan de to'. Con eso de vender esas cortinas del baño-las transparentes-a 99 centavos el paquete…comería algo halal, sin el velo. Obvio.

Es que tener esas cortinas de 99 cents son la beca…se comienzan a ensuciar…se lavan en la maquina.

A la 4ta lavada ya se quedan igual. Con cota big time. Entonces comenzamos a cortarla. Ya hoy la cortina está en minifalda. Se le saldran lo pipí… mojará el piso. Time to' go back to el habibi de la esquina y su nairinai cents, que se extiende hasta a 4.99. Y hasta 7.49 Y 9.99.

Que dijo Jesus
Que los 144, 000 que estan apuntao
son solo los gospel singers.
Por eso del getting happy.
Por eso del dulce. Del canto. Canto
e'…canción. Por eso del melao.
Le bajaron dura a la ganga de pastores.
No hay aceite ni himno que les valga.
El hijo de José no coge corte.

All of the below Ay cariño. Hay
cariño. Ahi cariño. !!!...&

…baile el jaleeeeeo. Compadre…
Yo bailo seria.
Mi comadre baila con la risotá.
Go figure.

Aqui…

En na'.
En to'.

Magic. Moving. Magic.

I was born in La Romana, Dominican
Republic.
A sugar mill town on the South East
Coast of the island.
Front row to the Caribbean Sea.
Yes a blue sea and the seasonal sweet
smell of burning sugar cane all around
the town. Aroma that sweetly killed
our lungs and created illness that we
have not started to mention yet.
But that is another story.
Let me stay in the magic track, at least
for couple of paragraphs.
As a kid I knew there were things
adults do. And magic that kids create.

I remember walking at night, from my
grandmother's house to my mother's
and the moon will walk with me.
I would stop. She would stop too.
Every time I looked at the stars they
winked at me.
And the sun...the sun will play hide
and seek with me quite often.
Then I moved to New York in a cold
November. I was twelve years old.
I remember it clearly. It was dark.
It was intense dark blue. Back in the
days, falls felt like winter.

I could not see the moon, the stars
neither the sun.
Maybe my magic did not board
Pan Am.
My aunts, cousins and friends asked
me if I like New York.
To tell you the truth, I was not
impressed.
So I would always answer
"Well...yeah??!!!"
My brother Gogui who knew how
taken I could be with all fun things,
invited me to go outside with him.
"Come with me kid", he said.
There we were, in front of the
building, at the top of the steps, in
front of the park.
The sky was intense blue. And the
trees were naked.
My brother, as an adult, showed me
his index and middle fingers together
as if holding an invisible cigarette. He
effortlessly blew warm breath into the
cold air. And created smoked without
a cigarette.
Wow. O H M Y G O D.
"Tried it", he said.
Me? I'm a kid. Kids don't smoke.
"Try it, this type of smoke is for all.
PG13 smoke. Believe me".
Are you sure? Are you going to tell
Mom?

"No, try it".
 I put 'the two fingers' as if I was
holding a cigarette. Timidly first.
Then I blew into the cold air.
A tiny smoke cloud appeared.
I tried it a second time, with a little
more confidence.
Smoke. A little bit bigger.
The third time I tried it, I owed it.
I blew, strongly. I blew warm breath
into that cold November air.
I created a huge smoke cloud.
In awe. Awesome magic.
Magical New York.
Guys at that moment I knew I arrived
to New York, New York.
New York Magic. At best.
How about that???!!!
A day after the first magic, a
snowstorm hit the City.
The second magic was Citywide. Who
to blame for the 15 inches of snow?
Obviously me. All that smoke created
really did the number.
School was open. The bus back home
took hours to hit Manhattan Valley.
The bus had a chain dress in its
wheels.
Strangely enough, snow was covered
by salt, as if a salad.

Life continued.

So did magic.
Magic had different names: dance,
poetry, music, Urdu calligraphy,
Chinese Calligraphy, herbal tea,
theatre, oils...
In the wear and tear of sweating
magic, I had surgery in both knees.
The surgery room was soooooo so so
cold that froze my magic.
I could not move.
Magic became still. Silent.
I could not walk. Let alone dance.
 In fact I had to learn how to walk
again.
I did not know then that magic was
constant and that it included stillness
and silent.
In that stillness, something amazing
happened.
It might sound redundant but it
happened magically.
I dived into the stillness and silence.
I became the stillness.
I became the silence.
And I tasted an unending magic.
I could not see it but felt it quite
concrete.
If I have to place it, I must place
within the middle of my chest, in
stillness surrounded by silent.
I found sublime movements in
stillness.

And yes, I started to sing songs of silence, silently.

Life is the magic. Grand. Constant. Magic is here, there and everywhere. As it happened yesterday at 14th Street, listening to a song sang by a street artist that brought me to tears of joy and movements of celebration; and today, as a brown puppy ran to greet me wiggling his tail. Magic when I bake a cake with orange juice instead of milk, coming out fluffier and tastier ready for Tiffin time.
Magic is synonym of life.
Rooted in the As IS. Indeed.
I am reminded of it at all times by the song sang by my heart, syncopated in every beat.
How about that?

Migrating notes

I had no say in coming
I have illusions about going.

  Here I never belong.
  About D.R. I just have a thought.

Memories of the past
Create a false act.

  Althought very near
  It 's not so clear.

Now bilingual soul divided
Dominicanhood strangely richly
integreated to this different and harsh
reality
Without realizing as is
    rooting
      aging.

*First poem paid to be published.
Antology Latino Caribbean Literature
1993
(Published by Globe Fearon 1994)

A verse.
One.
One?
One?

> Pomagranate. A poem
> A crown on top of its head
> Many sweet seeds in the open

> Multiverse
> hundreathverse
> tripleverse
> universe

All
each
I had
have
will have

> Sprouting galaxies
> parallel times   in no time
> concurrent feast

Burgundy fingerprints stamp entries
to dimensions. Sweet jurisdiction.
New old era.

> Sweet.

> Is.

A 1 2 3 portrait of a legend

Our deity Ciguapa arrived in New
York too.

The subway steps changed her nature.
In the ups and downs to and from the
silver-grey-fast worms, her feet
became as everybody elese's in the
rush hour crowd.

She did not notice the drastic change.
This was the first sign of assimilation
-a concept not to be understood but
experienced.

And Ciguapa cut her hair.
Maybe to be in vogue.
Or just to simplify her rituals.

Her lover was not a hunter as the
legend goes.
He was a medical doctor by
profession turned taxi driver by
necessity.

He, the gypsy Caribbean, worked for
an uptown car service: La Base Tuya.
In this base, our deity was codified to
a mere 10-13.
It meant mistress or wife.

We never knew and she never cared.
10- 13   the dispatcher announced
once and once again with a laugh
underneath his breath.
10-13 10-13   10-13 waiting.
10-13 10-13 10-13
could no longer wait.

Their love was filled with few words,
passionate actions fast merengues,
tasty sancochos stews and predictable
tris to la remesa El Sol Sale Para
Todos.
These trips reforested the island
energized by its green dollars.

Ciguapa works in a factory making
pinkish dolls.
Dolls that she never had.
Dolls dulled by the unique smell of
new.
Earning less than the minimum, she
managed to pay an immigration lawyer
that she never met.
She got her green card.
It was not green.

Now she prepared herself to visit the
Dominican Republic.
What a triumph!
She made it.
She made it!

She made it?
Huge suitcases, bought at 14th Street
were filled with unthinkable,
unnecessary items.
Items to be sold at laughable prices.
Calculated in dollars paid in pesos.
Laughable reality.
She whose laugh is based on a
constant and bitter cry.
Constant nostalgia.
Bitter reality.
Unherad cry.

Here in no man's land.
Here is no woman's stand.
You can become what you are not
-Spread the news. She is leaving today-
by circumstances, opportunity,
luck, unluck, karma, dharma.

A saint.
      Or one forgets *hershis* divinity.

Preened with pearls

Enchanting neck and earlobes

Inviting you to lick me.

Your tongue

as that of a Maori in the midst of a

Haka, covering a part of me.

Me   feeling myself entirely covered.

Now you are talking.

I meant   now we are not talking.

I meant   we are really talking.

Did you swallow one of my earrings?

Never leave a burning candle
unattended.
Unattended burning. Leave.
A burning. Never leave.
A candle.

Reappearance of mist

Invited by a detailed kiss

Incoherence follows

Your presence is felt in every cell

What it is known still surprises

Old tricks embellish the anxiety

to love

Fetching the soap is the route

to the Well

Goose bumps and uncodified laugh

wrapped my bones

Honestly welcoming back home.

Burn within sight.
Keep away from things that catch fire.
Keep away from children.

Within. Sight.
Keep catch.
Keep children.

At first
He knew me wrong.
Limited sources granted the gossip
Under the spell defying all sources,
he came to a reading.
Left devastated.
Returned to a performance.
And stayed determined to see the
dancer's stillness.
The performance's silence.
Those almond shaped eyes.
The blackest eyes I ever saw.
Understood passive action.
Needless to say that he is my newest
love.
Mygreatestyoungestfunniestbestnaked
dancerever I've touched
Whispering in Spanish and Creole my
16 names.
Our schedules always worked best
after PMS.
Coincidence mere coincidence.
Just mouthful   He does not complain
Time soflty flies
Inventing Againg and again
The art of touching.
He knows me well.

BienAmee   my favorite
early morning name.

My telephone is being checked for
trouble
I told you so I told you so filled the
wire
I told you so I told you so screams
muy mind tired
The ATM machine informs me
Not-enough-funds
Not clear yet   out of state check
Five fucking working days
Disposes   disposes
Premises must be vacant by 5:00pm
Susan B. Anthony coins traded
2 dollar dills personified luck
2 dollar bills known surprise
kept on page 108
The educational loan people/voice
activated machine got a number
not my numbers
No tokens MTA does not accept
pennies
Not from heaven but pockets shaven
No black box to swallow my foreign
quarters
Every letter threatens to mess the
already lost credit
Grants and fellowships went again to
the Phds artists
Word ways worlds ways   ways
He dissed me   he left me too
As passed are the days with extra
money for ice cream pints

He dissed me
As gone are foreign films nights
beyond the catalog of the public
library
Please deposit 5 cents or your call will
be terminated
Thank you
This is a recording.

Sunset setting the mood
        Sweet   cold   sticky
            I'm immersed in your favorite
beverage
        Sweet sticky   I stay
My body   as always   obedient to
song sang in whispers
Soul at home   humming the lost of
                Conscience anthem

 Still I stayed

                while your beverage
now warm   melts

                Sacred suppleness
Still I stayed

Like out of the pages of the Ikea
catalog
We walked around the store
Laughing
Putting more and more stuff in the
cart
Quilts and pillows   Bookshelves
Candles   many candles
Candles of many colors Candles in
many shapes   More storage boxes
wooden boxes   plastic boxes
metal boxes
More kitchen -not quite needed stuff
But nice   real nice stuff
Poli-lingual tri-cultural   bi-racial
couple
I'm telling you   From the pages of
the catalog
We even went to eat the warm
cinnamon buns advertised in those
photos with multicolored dressed-
Oreo-coconut biracial cuties
Still smiling   those kids in the photos
Still smiling   we paying at the cashier
We sat next to our mirrors
Other catalog couples   dressed in
their L.I. Bean-Brooks Brothers look
Waiting for the photo   any moment
now
How multicultural
                    Please.

Crooked cupid
a woman named City
Hips swing   male or female
we swing creating our tale male or
femalewe swing
No one to blame or complain   but go
just go   let go
go slow   go fast but go.

Crooked city
a woman named cupid.
Look at it   look at her
Uptown bachata   lower east side sitar
el barrio y su salsa
jazz phrasing in the west side
and many many many many rythms in
between.
A saxophone player from Mars.
A steel drummer from Trinidad.
And the best monologue by the man
from the South whose lady eats too
much.
One dola one dola one dola
batteries yoyos
one dola one dola one dola
a toy boy urinates   year of the horse
fan one dola one dola one dola.
The broken drummer mended us all.
"I don't steal   I don't rob
I play the drum 'til I get a job"
Ain't no joke   I'm really broke"
"Ay que ooolla.   Ay que ooolla

Ladronaso. Pariguayo. Comesolo.
Ay que ooolla Ay que ooolla. Higüey.
El Seibo. Hato Mayor. La Romana.
San Pedro de Macorís…"
Change that blockbuster night into a
heavy baby hug me tight.
Julio I love you soo much
but not enough to die for you.
Crooked crooked crooked cupid.
A woman named City.
A really loud mother fried dumpling
whose hands and legs move
creating lines and verses
flowers and curses.
A woman named City.
City glorifying the finest.
The finest brutality in blue.
No yellow cab takes black paprika
uptown.
City Intimate as hell Distant as heaven
City   Not offensive but of senses
Street News erases yuppies guilt.
Just kidding. A woman name City.
Only advice: Just remember not to
trust hospitals that are getting
renovations, new buildings etc etc.
Their prosperity…their business
our sickness.

Me   a Caribbean masala
You   the vegetable curry of my life.

To talk

Press and release button

Wait for steady light

                                 Open this.

                          Alarm will sound

                          Pull handle down

…hold doors open

…lean on the door

Mi enllave en clave

You are the top in my priority
In my priority you are the top
My priority   in the top you are
In the top   you are my priority
My priority   in the top you are
In the top   you are my priority
In my top   you are the priority
Priority   you are in my top

Are you the top in my priority?

Top   in my priority you are
Top   in my priority you are in
Top   in my priority you're top
Top top top priority
Top top top priority
Top top top priority
You are the top in my priority
Priority   you are the top

Are you the top in my priority?

My priority you are in the top.

You are the priority in my top.

You the priority in my top are.

Im my top   You are the priority.

Top top top priority

Top top top priority

Top top top priority

You are in

Top priority

You are the top in my priority

Top top top priority

Top top top priority

Top top top priority

Tops.

From Mangos and Mithai

Believe me when I say
All is well.
A box full of Katju Katli
On my lap
On me
Me
Katju.
Katli.
All is well.
Indeed.

Can sing about the beauty danced by
your flowers.
Aroma.
Your flesh.
Texture.
Juice.
Sweetness.
But you are the ode.

There is no use sitting to eat just one
mango.
I believe it to be a sin.
A sin.
A crime.
Misuse of energy.
Disrespect to the king.

On cultivars, as on any other love.
Sweetness decides

From A Dominicanyork in Andhara

Sleeping in history
Framed by highly crafted wood
A 150 years old bed
High as certain regards
Tames known pace

In the presence of a dance Guru
Dancing in the zenith of stillness

His hands gave away his greatness
His killer-look embellished the
technique
Anger does not disturbs his dignity
Household chores filled the
intermission

Nataraja in constant move

He convened Saraswati to approve my
path
He invoked the lassya and tandava
Shiva

Dignity fights eloquently

Nataraja in constant move

An ordinary phrase becomes an
extraordinary song

Harmonized in Telegu   understood
perfectly in Spanish

Blessings continued

A warm heavy rain brought down the
night
Drop by drop
Dig dig tei

Up in Banjara Hills
Orangy skies   5:49pm
Orange to carmesi   6:43
Blue prusia to cobalto 7:18
Purple 8:00
9:00pm night

The heat pushed me out to face the
dusk
Who in turn invited me to sleep in the
open roof

Old stars and new friends
Laughed   sang   and cuddled up
Sitting next to me   Tagore read an
unpublished poem.

I have become a fashion victim

Last night your lungis drove me up
the roof.
That wrapped around cloth
quietly
sensually
invited me up to the veranda.

You knew about my visit before I
even thought about it.
You decorated the left corner
with the subtle colors of the sunset
You carpeted it with a bright red
cotton fabric
And sprinkled it with jasmine flowers.
Sandalwood incense leaded the way.
I followed as an obedient devotee

Your bathing me with honeyed milk
transformed me into a Goddess.
This morning my civil status and
active night are displayed
without censorship
with great detail
By my silver toes rings
And red pan marks all over me
And the few pomegranate left
to continue
every possible loving ritual.

One of three heavenly dreams

I met a recently arrived.
A recently arrived to earth Master.
A recently arrived to earth Master
baby girl.
I met her on a dream. Sort of.
Since I sweated with eyes close.
Celebrating with open eyes the
experience.
Anyways…the recently arrived Guru
was in the dream as I saw her on a
photo.
The light on it all was green. And blue.
And then golden color.
In this dream I went to visit her hours
after her AM arrival. To earth.
That is the only dreamy part, since I
will never go and visit an elder as soon
as she arrives to earth. I know some of
the protocols of silence, love
conversation with parents and the
erasure of past files.
Anyways…in the dream I was visiting
baby Guru. I asked her how she felt.
She said "with enormous thoughts".
I replied, oh, from the journey? She
said yes. Smiled and closed her eyes

pretending to be sleeping. But she was listening to her parent's thoughts and her family voices welcoming her.

"Oh My she looks like...when he was born...look her lips like...look her hands with long fingers like a pianist...from the mouth up...exactly like her mother...from her mouth down, an exact photo of her father. "This is fun. They say hilarious tasty things". Said baby Guru.   I am so glad that she is already in-on the earthy groove.

Some woman visiting, thought something she did not agree. She turned her head to look at her mother and said "My mom is my best mom in the whole wide world".

You see, she disagrees pointing out love. Lovely lesson. Gladly I learned already not to question when the wise utter pearls of wisdom. I just know that she barely came from the Source. Next to the galaxy that I come from. Blue Star neighborhood.

Now down as above.

And viceversa.

Clearly.

Ana and Anand

Translators and interpreters at the
tender age of seven.
Ana and Anand arrived at the Motor
Vehicle office in Harlem at midday.
Two camps were formed.
We do not see the tents.
But two empty chairs divided,
established, boundaries, borders or
framed our two families. Or those two
chairs are occupied just by the
distrust, migrant shyness and all other
clichés.
In the right side: a father, a mother,
a boy.
In the left side: a father, a mother,
a girl.
From the left, the girl's smile invited
the boy to quickly jump from his chair
and join her in joy and games.
María,
Meena,
we heard the fathers emphatically
called.

Meena and María, looked at each
other and agreed to allow the children
to play. This agreement just had smiles
as first clause and as signature their
shoulders danced the usually "So".

The fathers contested the summons
with very particular ways of saying no.
Even though they used their heads,
each had a very personal dance to it.
But the message went to the open,
both commenting the same old song:
"In my country is different.
You are becoming an American.
They should not play together.
We do not know him/her.
She/he is different from us.
They are different from us".

Ana and Anand are flying.
Anand and Ana have become planes
with their games.
The plane took over their entire
bodies.
And their bodies have become
crosses.
Fasten your seat belts.

Turbulences ahead.
Across the skies. Across colored skies.
Blue. Neeli. Azul. Yellow. Amarillo.
Pasupu
Rojo. Yerra. Red. Green. Verde.
Peccha.

Meena and María are cuddling each
family's passports. Aloof, the
passports are resting in their laps.
And from time to time they remember
their long journey from home to
Harlem.
Here they are:
Republic of India passport
Dominican Republic passport
Anand's parents are from Hyderabad,
AP, India.
Ana's parents are from Higüey, PA,
Dominican Republic.
Across the skies. Across colored skies.
Blue.
Yellow.
Red.
Green.

Meena and María are uncontested
queens of sweets.
Sweets made with milk; softened with
potatoes, cardamom spiced, touched
with a teaspoon of vanilla, sprinkled
with cinnamon, dressed with silver.
This is the alchemy known to all in
AP and PA.
Sweet heritage.
Sweet milky heritage way.
Their own milky way.
Meena is carrying Hyderabad in her
earrings bought at Basheer Bagh
Circle.
María carries the Virgin of Higher
Grace in her earrings.

Amarillo. Pasupu.
Rojo. Yerra.
Azul. Neeli
Verde. Peccha.

I passed in front of the camps.
And both parents' thoughts were
displayed in their foreheads:
"Dreadlocks are dirty.
Do they wash their matted hair?

Dirty. Ugly. Really ugly"
Little did they know that our stories
and histories are intertwined; that their
eyes and my eyes have seen the same
houses, walked the same roads, taken
the same rickshaws...taking the same
motoconcho. In their wildest dreams,
they could not imagine that I have just
returned from Hyderabad. And that
before the journey, I went to Higüey.

Ana speaks with Anand in Spanish.
He responds, with no hassle, in
Telegú.
Anand speaks with Ana in Telegú.
She responds, not a bit bothered, in
Spanish.

Both families are called to the
windows.
Anand and Ana smiled as their planes
arrived to another destiny. Three steps
towards their parents and their body
went to the interpreter's character in
full.
-Who filled the application? Me.
-Where is this voice coming from?

-From my mouth, both translators
said laughing about the questions and
their answers.

Now facing the clerk, on their parents
arms, to the amazement of the adults,
Anand repeated the colors in Spanish
Ana phrased them in Telegú.

From Comrade, Bliss ain't playing

I dentity. I dent it why.
Identity. A prioritized feeling that
photographs a nation.
Identity. Flagless nation.
Identity. A nation with no flag.
Identity. A mere feeling.

More often than not.
I travel.
I travel to discover more about
my own self,
as any displaced, surviving.
As any traveler, surviving.
I travel to watch
What I watch at home.

I take the trip.
The trip takes me.
I am tripping.

I have visited paradises on earth.
But they were really paradises on earth
because I was just visiting.
After those visits, I granted
to my life its ¨visiting earth¨ bumper
sticker.
Continuing with the tourist itinerary…
if the glossy color photo is
scratched a little, it bleeds.

Few local people could swim...
Heaven advertised for the Hereafter...
Please read it as purgatory lived by the
majority in this current life.
Look at the eyes of the smiley-Happy-
party people
full of anger.
Hunger.
Anguish.
Sadness.
Countries export what they need.
Saints and sages.
Workers and lovers.
Workers are lovers.
Lovers are workers.
Countries export what they need.
Teachers and doctors.
Spirituality.
Democracy.
Diplomacy.
Artists and scientists.
Flowers and fruits.
Silks and diamonds.
Prayers and magic.
Countries export what they need.
As we teach what we need to learn.
As we look outside what we already
have within.

On the trip...
I'm tripping.

The lowest price package,
with all possible amenities
and national anthems included.
It is impossible to relax in paradise
When you are one of the supposedly
Smiley-happy-party people too.
But, when I hear the word tradition,
Sorry, I must run to the other side,
miles and miles away.
Paradises on earth and
their...traditions.

I have my own tradition.
I do.
Not colorful, gold
Picture perfect lore.
No beautiful fabrics to die
for or dances to live by
or hips swinging truths or lies.
No.
In my tradition, breathing
is the only expression to keep alive.
And you too can testify for that.
Fake it, fake it, faaake it
and your lungs will react automatically.

This is it. The core.
Now playing at a theatre
so near you that you can't wait to
exhale.
'Cause you will practically die.

I take the trip.
The trip takes me.
Still tripping.

I have been migrating since birth.
In fact, migration first comes visible
exactly at birth.
Migrant. Migrate. Migraine.
Migrant migraine.
Migration rapidly wrapped all my
existence.
I move from second to minutes to
hours to days to weeks to months
to years and years and years.
Migrating every day.
Day to night.
Night to day.
To too many places
I have arrived.
From many places I have left.
Heaven, purgatory or earth,
All ask the same questions…
Where are you from?
I am not able to place your accent.
Where are you from again?
Where on earth is that?
Ohhh the name sounds
So cute-so exotic-so strange-'so
different than us.

Heaven, purgatory or earth
All ask the same questions…
Where are you from?
When are you leaving?
Where are you going?
Like if a "place" would be the thing.
What about if I tell you that
I am THAT place, coming, staying,
going, to-by-from-on-in
I am that I am.

What I do in the extremes,
In pain or in pleasure,
tells you mathematically,
my equanimity level.

I thought that what lasted more
was truer.
But time, as we know it,
can not measure truth.
Time in itself is limited.

Reality is constant.
Reality is what is constant.
What is constant is Reality.
Then, just my soul lives in reality.

Every. Every. Every routine is m
ritual.
And pure potentiality…my religion.

If I should tell you one truth.
One. At least one.
Count on my contradictions.

What does life verify anyway?
Where does the dance of life move
towards anyway?
A divine choreography for the sake of
the moment?
Go figure.

The question that I do not want an
answer to,
I ask it in silence.
Dances that I do not want others to
dance,
I dance them in solitude.

I saw you.
I saw you in the sunset.
I saw you.
I saw you as a sunset.

But before silence sat in,
a monosyllabic sound was mumbled.
You were already in silence.
I was drowning still in words.
I could not help but smile at myself.
Laugh with myself.
And cry for myself.

I remember the silence out of fear.

Silence of ignorance.
Silence by omission.
Silence by violence.
Silence by anger.
Silence when the memory denied
access.
Silence when a mere cold wrapped
my chords around.
Silence
selected as my own choice.

In silence we are one.

One is in silence oneness.
One is.
Is in.
In   silence
Silence   Oneness.
One is
Is one
One is
Is in
In is
Is in
In silence
Silence in
Silence oneness
Oneness silence
Silence oneness.

One Is In Silence Oneness.

Textos en las páginas 101 & 157 se publicaron en
Vislumbres. India & Iberoamerica Vol. 1
Embajada de España en la India   2008

El texto en la página 137
se publicó en The Dominican Republic. Caribbean
Connections: Moving for change Series. Edited by
Anne Callin, Ruth Glasser and Jocelyn Santana
Teaching for Change. Washington D.C. 2005
Y en la antología The Beacon Best
Editada por Junot Díaz
Beacon Press 2001

Los textos en las páginas 66, 137, 143, 149
se publicaron en Callaloo.
Editado por Liz Paravisini y Consuelo López
Journal 23.3 Johns Hopkins University Press
Summer 2000

Los textos en las páginas 5, 6, 14, 16, 18, 27, 35, 43, 84
& 145 se publicaron en Aqui Ahora es Manhattan Alla
antes La Romana. Editado por Daysi Cocco de Filippis.
Colección Tertuliando #3 1999

Texto en página 66 se publicó en el libro
Tertuliando Hanging out editado por Daisy Cocco
De Filippis 1996

Los textos en las páginas 18, 27, 35, 43, 58, 84
estan en www.Cielonaranja.com

Cada texto tiene su propio tratamiento a las reglas
gramaticales. Ilustrando el Josefinismo.

As is é

Josefina Báez (La Romana, República Dominicana/Nueva York). ArteSana, cuenta cuentos, performera, escritora, directora de teatro, devota. Fundadora y directora de Ay Ombe Theatre (abril 1986). Alquimista del proceso para vida creativa: Autología del Performance (proceso creativo basado en la autobiografía y bienestar del hacedor/a). Libros publicados: Dominicanish, Comrade, Bliss ain't playing, Dramaturgia I & II, Como la una/Como uma, Levente no.Yolayorkdominicanyork, De Levente. 4 textos para teatro performance, Canto de Plenitud, Latin In (antología de autología) y ¿Por qué mi nombre es Marysol? (cuento infantil).

Foto Jorge Lara

Josefina Báez (La Romana, Dominican Republic/New York). Storyteller, performer, writer, theatre director, educator, devotee. Founder and director of Ay Ombe Theatre (1986). Alchemist of creative life process: Performance Autology (creative process based on the autobiography and wellness of the doer). Books published: Dominicanish, Comrade, Bliss ain't playing, Dramaturgia I & II, Como la una/Como uma, Levente no. Yolayorkdominicanyork, De levente. 4 textos para teatro performance, Canto de plenitud, Latin In (Antología de Autología) and Why is my name Marysol? (a children's book).

Foto Lou Digiandomenico

CPSIA information can be obtained
at www.ICGtesting.com
Printed in the USA
LVHW03s0018150718
583813LV00007B/47/P